# 长大了
# 就会变好吗?

KnowYourself 主创们 著

江西人民出版社
JIANGXI PEOPLE'S PUBLISHING HOUSE

# 目录

## 序

## Chapter 1　亲密关系

# Chapter 2　情绪

# Chapter 3　自我成长

序

# 18—25 岁：也许是一生中最困难的时候

## 成年初显：充满不确定的必经之路

"我妈妈在我这个年纪时，已经订婚了。他们那一代人，在这个年纪，对于自己的人生要做些什么至少已经有了一些想法。而我呢？我还在读书，学了两个没有什么对口工作的专业（政治学和中文），手指上还没有戒指，不知道我是谁，至于未来想做什么，就更是没有头绪……不过，虽然压力很大，我也必须承认这是一个激动人心的年纪。有时，当我想到遥远的未来，我能从那种空白中感受到一些其他的东西。我会意识到，前面没有什么东西可以让我依靠，因此我从现在开始不得不依靠自己；我也意识到，没有任何方向，正意味着我必须锻造出属于自己的方向。"（Kristen，22岁）

上一代人，在18—25岁期间，通常已经完成了婚姻/家庭、事业的选择。这个阶段对那时的人们来说，只是一个简单的、进入稳定的成人角色的过渡阶段。他们很少（或者延后了很多年才）体会到我们这一代人在这个时期里经历的挣扎和阵痛。

我们面临的情形则完全不同——最近半个多世纪以来，在城市化水平高的地方，婚姻和生育年龄普遍推迟到了25岁以后。在校读书的时间增长也是近几十年来发生的社会变化之一，大学毕业后接受更高程度的教育变得越来越普遍。成人期该做出的许多承诺和责任都被推迟了，而从青春期开始的、人们对于自身角色的探索和实验，则持续开展。事实上，对这一代人来说，在成年初显期，我们对于自身角色的探索要比青春期更加剧烈。

18—30岁，尤其是18—25岁这个阶段，变成了一个独特的、与其他阶段有着显著差异的生命阶段。频繁的变化、对人生可能性的探索是这个阶段最显著的特征。而到了这个时期的末尾，也就是临近30岁时，大部分人都已经做出了对一生有持续后果的人生选择。研究显示，当成年人在后来回顾"自己一生中发生过哪些最重要的事件"时，他们经常追溯到那些在这个时期发生的事。

18—25岁既不是青春期，也不是成年早期，而是一个特殊的时期。在这个阶段，人们已经开始摆脱完全的依附状态，但又还没有完全承担起成年人应该承担的责任。人生许多未知都还在发生，几乎没有什么是确定的，而对于自己人生独立探索的程度之广阔，是其他任何阶段都无法企及的。

心理学家Keniston这样描述这段时间：这个阶段的年轻人身上，始终存在一种"自我和社会之间的张力"，以及"对于被完

II

全社会化的拒绝"。

## 一生中最混乱的阶段

美国人口局1997年的数据显示，在12—17岁，有超过95%的人和父母一起居住，超过98%的人没有结婚，只有少于10%的人有孩子，超过95%的人在上学，这是18岁以前的标准化生活规范。而到了30岁，另一种标准化的生活规范又会出现，在30岁以上的人中，超过75%的人已经结婚，大约75%已经成为父母，而只有少于10%的人还在上学（现在的情况可能已经发生了一些改变）。

然而，在这两个人生阶段之间，尤其是18—25岁，一个人很难单纯从年龄估计出TA在其他人口学维度上的状态。TA可能结婚了，也可能没有，可能还在上学，也可能没有。这种难以预测，显然体现了这个阶段的实验性的特征。心理学家Jeffrey Jensen Arnett引用了另一位学者Talcott Parsons在1942年提出的概念the roleless role（完全没有找到角色的身份）来描述人在成年初显期的状态。这个阶段里，他们还比较少受到例如丈夫/妻子、父亲/母亲这样的角色身份的限制。而这种无限制的状态，带来了他们生活状态的难测性。

在这个阶段，个体的生活状态、角色身份是不稳定的，混乱的。美国的数据显示，有大约1/3的成年初显期的个体会在高中毕业后进入大学读书，在大学读书的这几年里，他们过着一种"独立生活"以及"继续依赖父母"两方面状态混合在一起的生活。例如，他们有时在宿舍或出租房里居住，有时又回家居住。这种状态被社会学家们称为"半自治"状态（semiautonomy），因为他们承担了一部分独立生活的责任，同时把另外一些责任留给了父母和其他成年人。

在成年初显期，人们离开父母家独自居住的原因主要是全职工作和与恋人同居，只有不到10%的男性和30%的女性一直到结婚前都住在家里。成年初显期，是一个人搬家次数最频繁的人生阶段。这些变化显然和这个阶段的探索性特征有关，因为它们通常发生在一个阶段的探索结束，另一阶段探索开始之前（比如结束学业，开始新工作等）。

到了接近30岁的那几年，也就是成年初显期（emerging adulthood）向成年早期（young adulthood）过渡的几年里，这种混乱、不稳定的状态才会得到缓解。人们通常在25—30岁间做出一些对自己的一生都会有持续影响的决定，比如伴侣的选择、事业道路的明确等等。

## 什么因素能让人感到自己终于是成年人

一系列研究显示，处于成年初显期的人，从自身的主观感受上也会觉得自己没有完全成为一个成年人。甚至到二十八九岁和三十一二岁，还有接近1/3的人感觉自己没有"完全进入成年期"。大部分人觉得自己在一些方面进入了成年期，而在另一些方面还没有。他们觉得自己既不像处于青春期，也不像是成年人，他们处于两者之间。

我们可能会以为，人们之所以会觉得自己没有完全成年，是受到了我们前文谈到的那些不稳定因素的影响。我们会觉得，也许对年轻人来说，要让他们在获得稳定的住所、完成学业、找到事业发展的道路以及结婚（或者至少有一段长期稳定的恋人关系）之前，他们很难觉得自己完全成年。但事实上，这些因素和年轻人的自我认知关系很小。

那么，究竟是什么因素，能够让我们觉得我们真正成年了呢？

研究发现，个体主义相关的特质，尤其是以下三个特质对"我们认为自己是否成年"有着最为重要的影响：

1. 接受自己对自己该负起的责任（have been accepting responsibility for one's self）
2. 独立地做出决定（making independent decisions）
3. 实现经济独立（becoming financially independent）

这几个特质的重要性，反映出在成年初显期，个人发展的重点是成为一个"自给自足"的人（a self-sufficient person）。只有在这一点实现之后，我们才会发生主观感受上的改变。

需要注意的是，"成为父母"这一点，虽然在成年初显期不太常见，但成年初显期的年轻人一旦成为父母，就会极大影响到他们的主观体验，成年初显期的各种探索会立刻被父母这一身份所限制。因为成为父母之后，这些个体的关注重点从为自己负责，转向了为他们的孩子负责。这个因素能极大缩短年轻人探索、实验的时间，快速实现主体感觉上的"完全成年"。

## 我们在成年初显期要完成哪些自我探索

在成年初显期，我们主要应在三个方面完成自我身份的探索：爱、工作和世界观。自我身份的形成涉及在这三个方面尝试各种可能，然后逐步做出那些影响会持续更久的决定（比如选定事业发展的道路，选定更长期的伴侣等）。

在爱情方面，美国的青少年通常在12—14岁开始约会，但那时他们离严肃的婚姻考虑还很远，他们成群地开展约会，经常参加派对、舞会等。对青少年来说，约会能够带来陪伴，以及对于浪漫爱情和性的初体验。但很少有人能和青春期的恋人走到最后。而到了成年初显期，关于爱的探索变得更加亲密和严肃。此时，约会更多地会在一对一的情况下开展，约会带来的娱乐休闲不再被看重，年轻人开始更多地探索情感、身体上彼此亲密的可能性。

在这个年龄阶段，大部分人的浪漫关系会比青春期更持久，也更有可能出现性行为，同居也可能会出现。因此，在青春期，爱的探索是尝试性和短暂性的，青少年们问自己的问题是：此时此地，我更享受和谁待在一起？而在成年初显期，爱的探索涉及更深层次的亲密感，这个阶段的人该问自己的问题是：考虑到我自己是哪个类型的人，我希望选择什么类型的人作为我一生的伴侣？

事业也是这个阶段的关键词。年轻人正是在成年初显期接受了一定程度的教育和训练，这些教育和训练提供了他们未来成人生涯中收入和事业发展的基础。在这个阶段，他们的工作经验是为未来的工作角色/身份做准备的。他们开始考虑，这些工作经验会如何为未来在整个成人期想要从事的工作奠定基础。他们需要问自己：我擅长做什么工作？什么样的工作我长期做也会觉得满意？我有哪些机会去获得最适合我的领域内的工作？

在成年初显期，一个有意识的年轻人会充分尝试多种多样的课程和专业，以此为未来做准备。在美国，大学生转专业是非常普遍的现象，甚至转专业不止一次。他们通过这种方式，感受各种可能的职业未来，放弃不被自己看好的专业，然后追求其他的。此外，如今本科学位以上的教育也变得越来越普遍。硕士、博士学习为年轻人转变职业方向再一次提供了机会。年轻人在设计自己的教育道路时，不应该盲目出于随大流的心理做选择，而要想清楚自己想要通过这个选择获得怎样的未来。

不过，不管是爱还是工作，在成年初显期，人们对于它们的探索都不会是，也不该只是为未来做准备。更多时候，人们也是为了在自己受到"成年人的责任"的束缚之前，获得更广阔的人生经历。此时，长期固定的角色身份和承诺还没有出现，年轻人还有机会实验一些很难有机会的事。对于那些渴望大量浪漫和性经历的人来说，成年初显期是探索的好时机——此时父母的监视下降了，又还没有到社会期望的婚姻年龄。此外，这个阶段也是人们尝试不同寻常的工作和教育的好时机，间隔年、支教等经历在这个年龄阶段的发生是最多的，远多于其他任何一个人生阶段。

比起为你未来想要做出的长期选择做直接的准备，获得更多元、更多彩的经历和体验十分重要。它让你在进入长期、不变的选择之前，更明白自己喜欢什么、不喜欢什么，从而让你为自己做出更好的决定。而成年初显期是经历这些的黄金时期，错过将很令人遗憾。

而在价值观方面，心理学家William Perry研究发现，成年初显期，世界观的改变是认知发展中最核心的部分。他指出，成年初显期的年轻人在进入高校时，往往携带着他们在儿童期和青少年期学到的世界观，而高校里的教育则会向他们展现出多种不同的世界观。在这个过程中，年轻人会发现自己开始质疑自己过去的想法。大部分年轻人在大学毕业时会发现自己获得了和自己过去不同的世界观，同时，这个世界观还会在未来被不断地修正。研究显示，越高程度的教育水平，越会带来对世界观的探索和重新考量。

需要指出的是，成年初显期的自我探索，并不总是愉快的。对于爱的探索可能以失望、理想破灭、被拒绝为结局。对于工作的探索可能以无法找到理想的工作为结局。对于世界观的探索可能带来对儿时信念的颠覆，有时自己所信仰的一切都被摧毁了，新的信念却还没有建立起来。

此外，这也是一生中最孤独的时期。在成年初显期，年轻人对于自己身份的探索往往是自己一个人开展的。他们已经不再有原生家庭的日常陪伴，但也还没有组建新的家庭。19—29岁的美国人，是除了老年人之外，所有年龄阶段中，在闲暇时间独自一人的情况最多的；也是在所有40岁以下的人中，独自完成课业、工作的情况最多的。简而言之，这个年龄段，独身一人是常常出现、不可避免的情况。

这个年龄段也是各种高危行为高发的年龄，例如酒驾、危险性行为等。他们受到的监管比起青少年来更少，又没有被成年人的身份角色所约束。数据显示，进入婚姻、生育孩子之后，人们的高危行为会显著降低。

## 年龄并不是一个固化的标准

调查结果显示，18—25岁的年轻人，大部分不认同自己已经完全成年，而超过30岁的人，大部分都认同自己已经完全成年。

尽管如此，我们必须强调，年龄只是一个粗略的预测方式。18岁是一个明确的分界线，是因为大多数人在这一年结束了高中的学习，离开了父母的家，获得了法律赋予的成人权利。但是，从成年初显期到成年早期的转换，年龄就不再是明确的分界了。有的人在19岁就完全达到了成年人的状态，也有29岁的人仍然没有达到。大部分人会在30岁前后完成这个过程。

通过这篇文章，相信你已经看到，成年初显期是一个没有什么确定性的阶段。一切都是蓄势待发，一切都是悬而未决。需要指出，每个人在这个阶段经历的探索程度是各不相同的。没有必要在看完文章后，因为觉得自己错过了许多而惶恐。成年初显期最好的地方之一，可能就是它没有限制，也没有标准范式存在。每个人都可以根据自己的意愿以及条件，追求自己想要且能够追求的东西。

最后，送给所有处于成年初显期的人一句话：

Take your time and be patient. Life itself will eventually answer all those questions it once raised for you.（慢慢来，不要急，生活给你出了难题，可也终有一天会给出答案。）

# Chapter 1

## 亲密关系

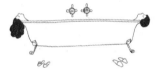

爱情的到来和消失，能被自我管理吗？

## 爱是感觉，还是选择

爱究竟是一种感觉，还是在决策后的意志行动？

有的人觉得，爱是一种感觉，它是瞬间的、不连续的、稍纵即逝的。爱情是某件"发生在自己身上的事情"，而不是自己的主观意志能够控制的事。它就像一条河流一样，你可能在某一个瞬间和一个人彼此吸引，共同走一段路，如果有一天你们的爱情消失了，就会自然而然地分开。依此来看，我们不仅控制不了自己爱上谁，也很难解决"失恋后依然爱着TA"的痛苦。

还有人觉得，爱不是感觉，不是短暂的情绪事件，而是一种决策或者意志行动（act of will），当你们彼此相爱，是双方都"决定了要和对方建立某种联结"，之后相爱的过程，则可以在很大程度上受到动机和人为干预的影响。因此，你可以通过努力去更爱一个人，也可以努力去不爱一个人。

这篇文章，不仅包含对这个问题的讨论，也包含"怎样更爱一个人"和"怎样离开一个人"的实操指南。

## 爱情虽然是一个个瞬间，但它也可以被管理

事实上，近年来的神经科学研究显示，爱确实不是一种持续不断的情感，而是一个个产生了"积极共振"（positivity resonance）的瞬间，每个这样的瞬间都伴随着身体、大脑、激素水平的变化。当我们感觉到"爱上一个人"的时候，往往说明我们与另一个人之间存在很多个这样的瞬间（Fredrickson，2013a）。

从这个角度看，爱既不是永恒的，爱的对象也不是独一无二的。你会在一些瞬间感到非常爱对方，但也可能会在另一些瞬间讨厌对方。你可能在一个瞬间和某个人有爱的感觉，在另一个瞬间和另外一个人产生这种感觉（Fredrickson，2013b）。

不过，爱情是由一个个瞬间构成的，并非说明它是无常的、不可控的，相反，恰恰说明它是我们所能够干预和控制的。

我们通常会区分两种与爱相关的感觉，"迷恋"和"依恋"。两者的区别在于，"迷恋"（infatuation）更多的是感性层面的，它是缺乏亲密感和忠诚度，但有着强烈激情的一种感觉，经常出现在爱情刚刚发生的时候，也是把爱情的双方推向下一步的助推剂。当双方都开始"迷恋"，你们进一步确认彼此的爱，想要开始一段关系——这时，你们就已经做出了"爱上彼此"的决定。随后，"迷恋"会渐渐转化为"依恋"（attachment），它包含了比迷恋更少的激情，更高的亲密感、依赖感、忠诚度。它会随着关系的进展而渐渐加深。婚姻则是一

种更慎重的决定：你们决定在今后的人生中，都继续地爱着对方（尽管人都会变化，但至少在那一刻你是这么想的）。

从迷恋到依恋，再到更深的承诺，爱情越来越多地成为一种意志行动，它的增强、减弱、消失不再是自然而然发生的。是你们双方的管理和控制，也就是我们经常所说的"经营"，在影响和左右着你们的爱情。

"在大多数时候，我们会觉得'我无法左右爱情'而根本不去尝试。"美国密苏里大学学者Sandra Langeslag说，这是她开始做"爱情管理"实验的原因。而实验发现，仅仅通过简单的"爱情管理策略"，人们便既能在你想爱一个人的时候，增加在每一个瞬间的"爱"的感觉（不管是迷恋还是依恋程度都是可以被操纵的），也能够在你想放弃一个人的时候，减弱爱的感觉（Langeslag & van Strien，2016）。

实验的一组参与者处于亲密关系中。他们被要求拿着另一半的照片进行积极的思考（主要围绕着三个方面：伴侣本身、伴侣之间的关系、和伴侣的未来），比如"他穿黄色衣服真帅""我们相处很好""我们会永远在一起"。

另一组参与者则拿着伴侣的照片围绕着三个方面进行负面的思考，比如"她真懒""我们经常吵架""我们遇到这么多困难，今后不会在一起的"。

结果发现，前一组实验对象，在刻意地进行了这样的思考后，对伴侣的爱的感觉得到了增强，不论是在参与者本人的报告中，还是在脑电波监测中都是如此："迷恋"和"依恋"程度都有所增加，而被称为"爱的脑电波"的晚正电位（LPP）脑电波活动也会增强。

与之相应的是，第二组实验对象，"迷恋"和"依恋"的感觉都会减少，晚正电位脑电波的活跃度也会降低。

## 那么，如何进行"爱情管理"

既然爱情是可以被管理的，我们也为亲密关系中的大家提供一些"爱情管理"的建议：

**1. 首先要确立正确的关系信念，警惕"宿命信念"**

我们曾经多次提到僵化、错误的认知会对我们的思维造成负面影响，这在爱情里也同样存在。有一些被称为"宿命信念"（Destiny Belief）的歪曲认知，就是对爱情有害的。常见的有以下这些（Knee，1998）：

（1）彼此相爱的人不应该争吵。争吵是破坏性的，它表示爱得不够深。

（2）如果我们相爱，就应该有"读心术"。我们凭直觉就能够心心相印，而不需要沟通所思所想。如果还需要明确沟通想法，说明爱得不够深。

（3）你永远无法改变对方。如果对方伤害过你，那么一定会一而再再而三地伤害你。

（4）被破坏和伤害过的关系是无法修复的。

（5）我们既然是天生一对，那么每一次性生活都应该非常完美。

（6）男人和女人的性格和需要是不同的，很难真正理解对方。

（7）美好的爱情是命中注定的，你们如果是"对的那个人"，那么就能够美满地相处，而无需努力维护。

这些信念具备一些共同的特点：过度概括、绝对化、理想化。它们最大的危害就是，会使我们在爱情中遇到困难时，不自觉地放弃努力。

而健康的关系信念被称作"成长信念"（Growth Belief），它建立在这样的假设上：不要认为爱情只是宿命，不要觉得关系和婚姻是理所应当的，持续的努力付出才是亲密关系成功的关键。"理想的亲密关系是逐渐发展的，其中的困难、挑战只会让爱更深""恋爱的关键是学会两个人一起处理冲突""美好的关系需要艰苦的努力"……这些都属于"成长信念"（Knee，1998）。

### 2. 你可以通过身体来改变感觉

前面已经提到，爱其实是由一个个"积极共振"的瞬间组成的，它包含一系列大脑和身体的反应。那么，反过来，我们也可以用身体的行动来增进爱的瞬间。

Fredrickson的研究发现，大脑中的迷走神经（vagus nerve）是"大脑与心脏的通道"。迷走神经更灵活、更容易紧张的人，爱的能力更强，能够更加敏感地捕捉到爱，也能更好地享受爱。而只有现实的接触才能锻炼迷走神经。因此，多见面、多交谈、增加相处时间、增加性接触，都是增进爱的感觉的好办法——如果能够更多地见面，就不要选择电话沟通；如果能够语音沟通，就不要选择发微信。在所有的现实接触中，最有效的是眼神的接触，仅仅是多花几秒钟对视彼此，都能够使你们多一些瞬间的积极共振（Fredrickson，2013b）。

### 3. 进行一些"亲密练习"

当很多伴侣相处了一段时间后，与性并不直接相关的那些"亲密练习"往往会被忽略，它们存在于日常的细节中，但对于爱情和性来说都至关重要。

以下这些，都属于增进爱情的"亲密练习"：

（1）在日常生活中，进行不是以性为直接目的的亲吻、爱抚；

（2）给彼此设置一些只属于你们的空间和时间，比如，在某一个晚上不看手机，一起看电影、综艺节目或者仅仅是宅在家聊天，分享当天的趣事。

（3）给彼此互相展示脆弱的机会，比如，尝试向对方吐露自己的失败经历、难堪的事，另一方需要投入地倾听和表达支持。这样的吐露会使你们离彼此更近。

### 4. 独自思考"爱"也能增进爱

研究表明，仅仅是停下来思考"爱"这件事也能够增强爱的感觉：每天花几分钟时间，也许是在工作间隙，也许是在通勤的时候，清除掉你脑子里其他的事，独自体会一下那种你们彼此相爱、彼此联结、彼此协调的感觉。如果你愿意做得更多，那么可以列一张清单，其中包含对方的优点、对方曾经为你做的事，然后分析和回味。

### 5. 找到一个"中间人"

"当局者迷"，你们有时会需要第三个人。这个人可能是咨询师（提示：一起做家庭咨询，并不意味着你们的婚姻出现了问题），也可能是你们双方的好朋友。TA能注意到一些你们自己没有注意到的双方的互动，比如对方看你的眼神有什么不一样，你们曾经有什么暖心的小细节，然后提醒你们之间那些爱的瞬间。

此外，创造一些好玩的、刺激冒险的事情。偶尔疯狂一下，总能让我们更爱彼此（Robinson，2016）。以及好好地利用你们共同经历的过去。在闲暇的时间，多回味一下你们所拥有过的积极瞬间，都会加强爱的感觉。

## 失恋了，如何减退爱的感觉

当你决定要离开一个人，或者"被分手"的时候，你同样可以做出努力（Davies，2012；Holmes，2016）：

### 1. 区分"爱"和"恋爱"

首先，你需要面对的事实是：爱的感觉不可能被马上切断，但是你们已经无法回到恋爱的关系中。

如果你暂时觉得无法割舍，无法一下子变成陌生人，你可以对这个阶段的感情做出一个在"爱情"之外的全新定义。世界上有很多种"爱"，你们可以仍然将彼此当作亲密的人，或者，你们还可以互相"爱"着对方，但你们不再认为互相处于恋爱的关系中，也不再做情侣会做的事情。

你们之间还会存在着一些积极的共振，它们中的一部分可能会渐渐消失，一部分会被遗忘，另一部分甚至可能会在很长一段时间内继续存在；但必须明确的是：你已经做出了结束爱情的决定，作为一种意志行动的爱情也已经结束了。

## 2. 列出"缺点/问题清单"

在这个时候，无论你曾经觉得对方有多好，都要检查上一段亲密关系中存在的问题，批判性地思考对方：列出对方身上那些你所不能接受的价值观/观点、生活习惯；回忆一下，在哪些时刻你曾因为对方的语言和行为感到非常恼火；哪怕只是对着过去的照片说"原来他长得不是我喜欢的样子"也是有用的。如果你感到愤怒，可以写完把清单烧掉，给自己一种仪式感。

在回忆的过程中，可以暂时不要列出和反思自己的缺点，更不要去想"如果当时……就好了"。你们已经不能回头了。

## 3. 隔离和转移注意力

现实接触的多少、距离的远近对爱的影响是双向的。因此，还有一个简单的方法就是，避免接触自己的前任。

你可以在物理距离上离TA远一些。比如，搬家，或者改造你的家，扔掉和TA有关的东西，重新装修一下；尽量避开你们曾经一起去的地方、做的事情、TA送你的东西等等，不要触景生情。

在这段时间里，不要让自己闲着，用工作、健身、社交、新的兴趣把生活填满。设定一个新的目标，然后去实现（比如先挣个100万）；尝试一下之前没敢尝试的挑战；或者学学化妆、打扮，让自己变得更有魅力。趁自由的时间，多去做一些以前没机会做的事，特别是做TA曾经讨厌的、不喜欢你做的事情。

### 4.学会关注其他人

学会去观察身边的其他人，欣赏他们身上曾被你忽视的优点和你喜欢的部分：好听的声音、好身材、良好的沟通……不排斥新的约会和关系。但要记住，要真的欣赏对方，而不是为了逃避而进入"反弹式关系"（rebound）。

以及，这时也是和曾经在热恋期被你忽略的好朋友重新建立关系的好机会，大胆地向他们吐槽吧，朋友的支持会减轻你的压力。

值得一提的是，就像所有的管理都会有它失控和混乱的一面一样，我们在本文中提到的对爱的管理，也不是一蹴而就的魔法。它会在大方向上帮助你，但你依然会经历忐忑、不安、紧张、忧愁甚至痛苦。最让人感伤的是："我还爱你，但我不想再爱你了。"最让人甜蜜的是："我爱你，但我还想要更爱你。"

我们无法完全操纵爱，这正是爱让我们着迷的原因。

# References

Bernstein, E.(2016). How to Fall Back in Love. The NY Times.

Davies, A.(2012).10 Ways to Get Over an Ex. Cosmopolitan.

Holmes, L.(2016).7 Science-Backed Ways To Get Over An Ex. The Huffington Post.

Fredrickson, B. L. (2013a). Love 2.0: Finding happiness and health in moments of connection. Penguin.

Fredrickson, B. L. (2013b).10 things you might not know about love. CNN.

Knee,C. R. (1998). Implicit theories of relationships: Assessment and prediction of romantic relationship initiation,coping, and longevity. Journal of Personality and Social Psychology, 74(2),360.

Langeslag, S. J., & van Strien, J. W.(2016). Regulation of Romantic Love Feelings: Preconceptions, Strategies, and Feasibility. PloS one, 11(8), e0161087.

Robinson, K. M. (2016). How to Rekindle the Spark in Your Relationship. WebMD. com.

WikiHow, How to Stop Loving Someone. WikiHow. com.

想在你面前做真实的我，也想为你变成更好的我
## 如何在爱中平衡真实和成长

　　在亲密关系中，我们都有真实的需求。但什么是"真实的自我"（actual self）？

　　在心理学家Tory Higgins（1987）看来，真实的自我指的是，"在我们实际拥有的个性特质影响下的言行举止"。无论这些特质来自先天遗传还是后天经历的塑造，也无论这些言行举止在他人或是我们自己眼中是"好"是"坏"。可以说，"真实的自我"就是骨子里的我们是一个怎样的人，会做怎样的事。

　　另外，学者Gan与Chen（2017）指出，人们在不同的关系中，面对不同的对象时还会表现出不同的个性、行为，而这种在关系中表现出来的自我，又被称为"关系中的自我"（relational self）。很多时候，我们的"关系中的自我"并不总是和"真实的自我"完全一致，且我们也会在不同的关系中表现出不同的"关系中的自我"。

　　比如，我们可能在同学/同事面前，表现得乐观、自信，但在父母或伴侣面前，表现得多愁善感或总在自我怀疑。我们之所

以会表现得与真实的自我不完全相同，有时候未必是主观上刻意为之的，而是我们根据对方与自己互动的方式，不自觉地做出的回应。比如，当对方总是一味地否定我们时，我们就更可能在与TA的关系里表现得不自信或自我怀疑。

## 我是真实的，希望你爱的也是这个真实的我

区别于其他关系，人们往往希望在亲密关系中，双方的"关系中的自我"与"真实的自我"是完全一致的（Gan & Chen，2017）。

换句话说，我们希望自己可以在亲密关系中自由地做自己——希望自己表现出来的行为举止可以是本真的、无需经过修饰的、完全符合我们原本个性的，与此同时，我们也希望对方能无条件接纳这样真实的我们。

我们展现真实并且希望真实被接纳，是因为我们每个人都有被他人所确认与肯定的需求（Swann，Bosson，& Pelham，2002），这不仅仅体现在我们希望自己的长处被更多地"看见"，不足被更多地"包容"，还体现在另一方面，即希望无论自己有什么样的优点或缺点，我们作为一个人的价值在对方心中都不会有所减损。也就是，你看到了我的缺点，但那不会影响你对我的爱。

在成长的过程中，我们最有可能从父母身上获得这样一种最接近于无条件的肯定与接纳。当我们在此过程中获得了足够多

的接纳与肯定，我们也会在成年之后更有能力给予自我肯定，也更少为外界评价所左右。但倘若我们从未被这样对待过，我们更可能在成年后的其他人际关系中，继续寻找这样的接纳与肯定。

而人们之所以更倾向于在亲密关系中寻找这样一种肯定，是因为关系也有亲疏远近之分。大多数人认为，比起其他人际关系，亲密关系是最值得自己亲近、信任和依赖的，人们也因此更想要在其中暴露真实，也对对方能够接纳完全真实的自己抱有更高的期待。

倘若一个人愿意在一段亲密关系中表现真实的自己，从另一个角度来看，其实已经对双方的信任和亲密怀有很高的期待。

不过，这样高的期待也同时意味着，一旦我们所展现的真实的自我中有一部分没有得到亲密伴侣的确认与肯定，我们就会倾向于认为自己的这一部分是得不到任何人的肯定的——"不被最亲密的伴侣所接受的个性特质，还能有谁受得了？"于是最终，连我们自己也开始嫌恶、厌弃自己的这一部分。

这就是为什么当亲密关系的伴侣无法全然接纳真实的自己时，会让人们产生强烈的痛楚感，还会让人怀疑这段感情的真诚度与持久度。"以真实的面貌被对方肯定与接纳"是每个人在亲密关系中的需求。

## 我也希望被真实的你所爱着

不仅如此，我们还会希望"伴侣也能在关系中表现出真实"。因为，人们通常相信，只有当双方都能在关系中真实地做自己时，彼此才有可能更真诚地为对方付出，更少使用套路或互相操纵，并且双方在关系中的地位也才更趋于平等（Kernis & Goldman，2006）。

人们在某种程度上也能通过对方是否愿意在自己面前展现真实的自我，来判断自己在对方心目中的位置以及对方对这段关系的态度。

## 但其实，我们在亲密关系中，也要"不止于"真实的自己

心理学专栏作家Christian Jarrett（2017）认为，尽管人们总是强调要做真实的自我，但其实在亲密关系中，人们也渴望能做想象中的自己。这里所说的想象中的自己，又被称为"想象中的自我"（ideal self），也就是"我想要成为怎样的人""这样的人会拥有哪些特质"这些问题的答案（Gan & Chen，2017）。

人们会渴望在关系中做想象中的自我吗？Gan & Chen（2017）为此做了一系列的研究，他们发现了几个有趣的结论。

### 1. 做想象中的自我，人们在关系中会更满意

研究者邀请了286名参与者，并请他们仔细想象自己的"真实的自我"——实际上我是一个怎样的人？"关系中的自我"——在亲密关系中我是一个怎样的人？以及"想象中的自

我"——我想要自己成为一个怎样的人？之后，这些参与者会对自己这三种自我的重合程度进行打分（1为重合度低，9为重合度高）。

比如，你在亲密关系中的自我和真实的自我没有两样，那么这两种自我的重合度就是9。另外，这些人还填写了相关量表，以测量他们在当下这段亲密关系中的真诚度（是否愿意为彼此的关系真诚地付出）及满意度（是否觉得这段关系让自己感到开心）。

结果发现，比起在关系中表现得更像"真实的自我"的人，那些在亲密关系中表现得更像"想象中的自我"的人（关系中的自我与想象中的自我重合度更高），对这段感情的真诚度与满意度都更高。

换言之，人们在关系中表现出自己"想象中的自我"，而非完全是"真实的自我"的人，反而对关系的满意度更高，而且也并不会影响他们在关系中真诚付出的程度。

**2. 无法成为想象中的自我，会阻碍人们在关系中真心付出**

研究者邀请了404名参与者，并随机把他们分入4组（"2x2"的实验设计）。

第1组："关系中的自我"和"想象中的自我"重合度高

第2组："关系中的自我"和"想象中的自我"重合度低

第3组："关系中的自我"和"真实的自我"重合度高

第4组："关系中的自我"和"真实的自我"重合度低

这些人必须根据分组思考相关的场景，比如，被分配到第2

组的人需要思考"自己在与伴侣相处时在哪些具体的方面表现得一点也不像心目中想象的自己"（其他3组以此类推）。

并同样请这些人做了关系真诚度的测量。结果发现，第2组人所感受到的关系真诚度是4组人中最低的。可以说，当人们意识到自己在关系中无法去做自己想要成为的人时，他们便会开始觉得自己很难在这段关系中真心付出。

另外，这些研究者们还发现，当参与者感受到自己在关系中被迫（pushed）要做真实的自己时，他们会因此倍感压力，从而无法再对关系感到满意，抑或是为之真心付出（as cited in，Romm，2017）。

3. 渴望做想象中的自我，源自每个人都有的"自我成长"的需要

Gan与Chen（2017）认为，在关系中能否做"想象中的自我"之所以对关系满意度与真诚度有如此重要的影响，是因为除了做真实的自己之外，人们也有在关系中获得自我成长的需要。

Drigotas等人（1999）认为，在亲密关系中，当人们去做想象中的自我时，就能促使对方也以相应的方式与我们互动，而这会帮助我们逐步接近自己想象中的自我，这就好似璞玉被雕琢而光芒展露的过程，因而也被称为"米开朗基罗效应"（它也可能发生在其他关系中，但与"真实"类似，人们更期待它在亲密关系中发生）。

比如，我们想要成为一个自我坚定的人，那么当我们在尝试着做出自我坚定的努力时，对方可能会就此停止过分的索取，

又或者改变索取的策略，但无论是哪一种，都是TA对我们"自我坚定"的回应，这样我们可能感受到自我坚定的好处，感受到外部世界对自身改变的回应。在这样的互动中，我们一步步接近想象中的自我。

在这个过程中，我们就能体会到关系带给自己的成长与力量，也就更可能对这段关系感到满意。

另外，做想象中的自己对于减少关系倦怠也是有积极意义的。正如我们在"关系倦怠期"一文中所提到的，当人们感觉到一段亲密关系已经无法带给自己更多的自我延伸时，就会感到麻木和疲倦。而在做想象中的自己的过程中所带来的成长，就正好能够弥补伴侣能带给我们的自我延伸的减少。

我们既需要做真实的自我，也渴望做想象中的自我，在一段关系中，这两种状态会是矛盾的吗？

## 如何在关系中平衡真实与成长的需求

首先，我们需要认清："想象中的自我"并不是虚假的。

事实上，"真实的自我"与"想象中的自我"描述的是不同纬度上的"自我"，前者描述了自我在"真与假"维度上属于"真"，而后者则描述了自我在"时间维度上"属于"未来"。换句话说，想象中的自我，可能是在成长中的、未来的"真实的自我"。

由此见得，做真实的自我与做想象中的自我之间其实并不矛盾。反而需要警惕的是，人们常常会以"真实的我就是现在这个样子的，若是要改变现在的我，那就是在让我变得虚伪"为借口来逃避成长。

其次，在关系中强调"真实"时，需要考虑对方的感受。

很多人总是误以为在关系中做真实的自我是一件理所应当的事，所以，常常会不顾对方感受地做自认为真实的自己会做的事，甚至觉得如果自己为了顾及对方感受而改变一些行为的话，就是违背真实，是一种虚伪的、为了迎合对方的套路。

但事实并非如此。"真实的自我"不是一个全有或全无的状态，我们也并不会因为某一些举动就变得"虚伪"。另外，尽管我们有在亲密关系中做真实的自己的需求，但同时我们也有保护好这段感情的需求，而考虑对方感受就是我们为经营这段感情而付出的努力，并不是虚假的套路。

同时，想要在关系中获得成长，还需要付出主动的努力。

在关系中做想象中的自己，不仅需要你先主动表现出"想要成为的样子"，并且还可能需要一些更直接的沟通，告诉对方自己的正常目标。这样，才能让伴侣更准确地了解你"想象中的自我"并协助你获得成长。

另外，你也需要允许对方以对待你"想象中的自我"的方式对待你。这可能会给你带来不适，因为它和你过去习惯的互动方式是不同的。但就如同所有的改变可能会带来的不适一样，我们需要接受它、克服它，并找到更好的应对方式。

最后，正如存在主义哲学家让·保罗·萨特所说，"自我"本就是不断获得的，它存在于未来，是我们试图发展自己时的目标所向（as cited in，White，2012）。

愿你在关系中能感到自己与对方的真实，也能获得你和对方都想要的成长。

## References

Drigotas, S. M., Rusbult, C. E.,Wieselquist, J., & Whitton, S. W.(1999). Close partner as sculptor of the ideal self: Behavioral affirmation and the Michelangelo phenomenon. Journal of Personality and Social Psychology, 77, 293-323.

Gan, M.P. & Chen S. (2017). Being your actual or ideal self? What it means to feel authentic in a relationship? Personality and Social Psychology Bulletin.

Higgins, E. T. (1987). Self-discrepancy: A theory relating self and affect. Psychological Review, 94, 319-340.

Jarrett, C. (2017). Feeling authentic in a relationship comes from being able to be your best self, not your actual self.British Psychological Society.

Romm, C. (2017). Being your true self in a relationship is less important than being your best self. Science of Us.

White, M.D. (2012). Are you more likely to lose yourself or find yourself in a relationship? Psychology Today.

你们的恋情有多认真

# 如何科学地在关系中互给承诺

心理学家Robert J. Sternberg认为，一段幸福长久的关系需要同时包含三个因素：亲密、激情和承诺感（commitment）。我们今天要聊的，是三要素中"承诺感"的部分。

研究显示：关系中承诺感的高低会影响到人们是否维持一段关系。

此外，如果关系中的双方有更强的承诺感，他们的关系质量会更高，也能更好地适应关系中的变化，更倾向于在遭遇困难时选择不分手。甚至一段关系中承诺感的高低与否，可以预示5年后、7年后或者15年后，伴侣关系的稳定性（Weigel & Ballard-Reisch，2014）。

现在我们就来谈一谈，如何辨别你现在的关系是否有"承诺"这个部分存在，哪些因素会影响到关系中的承诺感高低，以及如何提升你及你伴侣对这段关系的承诺感。

## 你是否在一段有承诺的关系里

粗浅地说，关系中承诺感的高低，就是你承诺自己愿意为这段关系投入和付出的程度。

心理学家将关系中的承诺感定义为人们"渴望持续一段关系"的意图。对关系做出了承诺的人会渴望拥有一段从当下到未来的关系。同时，做出承诺也代表了一种选择，人们主动地选择留在这段关系里，也就选择了"放弃其他可能的选择"（Weigel et al.，2006）。

因此可以说，在一段有承诺感的关系中，伴侣双方是会对关系有长期投入计划的，也是对彼此忠诚的。承诺感越高，长期投入计划时间越长，投入程度越高，忠诚度也会越高。

具体来说，一段有承诺的关系是什么样的呢？心理学家Millder和Perlman（2010）列举了"有承诺的关系"的几点描述。你可以对照描述，看看自己是否处在一段有承诺感的关系里。

### 1. 有承诺感的关系中，人们更多把自己和伴侣看成一个整体

研究发现，当人们做出承诺、希望长久地维持关系后，会产生"认知上的依赖"（cognitive interdependence）：他们的自我定义发生了变化，不再将自己视为单独个体，而将自己和伴侣看作一个更大的整体。他们会认识到自己的生活与伴侣的生活之间存在很大重叠（比如有共同的房子和规划）；也会更多地使用"我们"等包含伴侣的复数称谓，来取代"我""他/她"等

单数称谓。

**2.承诺感会让人产生对伴侣的"积极错觉"**

在一段有承诺感的关系中，个体容易产生对伴侣的积极错觉，会理想化伴侣，并倾向于尽量用乐观、积极的方式，看待他们的亲密关系。对伴侣的积极错觉，表现为人们会认为伴侣的缺陷变得容易接受。人们会很清楚伴侣所犯的错误，但是会忘记那些过错，或者会对伴侣的过错进行重新解释，比如认为对方只是一时冲动等等。通过对伴侣的积极错觉，人们在伴侣犯错时依然可以维持对伴侣积极的总体评价。

**3.承诺感会让我们愿意为关系更多地付出和牺牲**

付出承诺的伴侣会更愿意为关系进行牺牲，他们愿意为维持关系而让步。比如，有承诺感的伴侣在面对爱人不严重的苛刻对待时，他们会产生顺应（accommodation）现象，会主动控制冲动，避免用类似的负面方式对爱人做出反应，而是做出建设性的回应。顺应不代表盲目的自我折磨，它是帮助人们在面对伴侣偶尔的坏脾气时，能更有效地进行沟通。

**4.承诺感让人不徘徊观望，寻求其他的爱人**

如果伴侣发现更有吸引力的人存在，那么伴侣可能会被对方吸引，弃我们而去。但是，愿意做出承诺的伴侣会表现出对替代选择的无视，他们会意识不到自己从替代关系中可能得到的好处，也不关心是否存在更好的关系外的选择。相反，承诺感不高的伴侣，会带着更强的好奇和热情关注他们可能得到的其他选择，例如，在一项研究中，给参与者展示一些有吸引力的异性照片，承诺感更低的参与者，他们在这些照片面前徘徊的时间会更长。

此外，承诺会让伴侣贬低诱人的替代选择，去蔑视那些"有可能将他们从自己现在的亲密关系里吸引走的人"。这一效应导致的结果是，承诺感高的伴侣可以积极地欣赏那些对他们关系没有威胁的人。但是，当他们碰到有可能会损害自己关系的人时，即使对方可能条件很好，却会找借口去低估那些人，证明那些人不如他们现在的伴侣有吸引力。

## 哪些人更不容易做出承诺

### 1. 回避型依恋者

在依恋类型中，回避亲密（包括疏离型和恐惧型两种亚型）程度更高的人会倾向于不在关系中做出承诺。其中，疏离型依恋者抗拒承诺，是害怕承诺带来的互相依赖与亲密；而恐惧型依恋者的状态则是"渴望而不敢"，他们担心伴侣会突然变心，不能一直保持承诺，于是通过不做出承诺，来避免自己有天会受伤（Weigel & Ballard-Reisch，2014）。

### 2. 夹在父母冲突中长大的人

精神科教授David Allen（2012）指出，如果父母总是让孩子来解决他们之间的冲突，那么当孩子长大后也会倾向于回避承诺。

这些孩子从小开始就夹在父母冲突中间，试图去稳定父母暴怒的情绪，来维持家庭的和平。久而久之，孩子会感到，处理父母之间的冲突成了自己的责任。当他们长大后，他们担心一旦自己和他人进入了有承诺的关系，就等于抛弃了自己在父母这段亲密关系中的责任。他们往往意识不到，自己没有得到有承诺感的持久稳定的亲密爱人，是因为他们还在一定程度上被困在父母的关系中。

### 3. 自恋型人格

自恋者进入关系的目的是为了满足自我增强（self-enhancing）的需要，伴侣是他们提升自我价值感的工具，如同装饰品。因此自恋者始终会寻找更好的替代选择，他们不愿意给出承诺，因为他们不希望陷入在一段长久的关系中，从而错失可能的伴侣（Campbell & Foster，2002）。

## 哪些人更容易做出承诺

### 1. 信任感强的人容易做出承诺

信任感强的人会认为伴侣是可预测的，他们相信自己在给出承诺后，伴侣并不会无缘无故地离开这段关系。同时，信任感强的人也会认为伴侣是值得依靠的，他们认为在遇到问题时自己总可以从伴侣那里获得关心，不会忽然失去伴侣的支持。因此，信任感强的人会乐于做出承诺，从长期的关系中持续分享和获得伴侣的爱（Rusbult et al.，1998）。

### 2. 道德感越高，越倾向于保持承诺

对亲密关系的道德责任感也会促使人们去保持承诺。研究发现，比起对关系的满意度，道德责任感更能预测伴侣们是否能够共同度过关系中的艰难时期。也就是说，一个人的道德感强，和一个人对现有关系很满意，两者相比，一个人本身的道德感对"TA是否会在困难时抛弃伴侣"的影响更大（Johnson et al.,1973; Millder & Perlman, 2010）。

### 3. 拥有关系目标的人更容易给出承诺

如果一个人拥有明确的关系目标（比如希望可以和伴侣养育孩子），那么这个人会更容易做出承诺。因为承诺将有利于将自己和伴侣变成利益共同体，获得来自伴侣的支持，而稳定的关系也有利于自己更好地实现关系目标（Coy & Miller, 2014）。

## 关系中的因素也会影响承诺感

社会学家Michael Johnson（1973）认为，影响人们保持承诺、留在关系中的因素主要有两类：个人对关系的满意程度和对关系的依赖程度。

### 1. 对关系的满意程度越高，越倾向于保持承诺

人们对一段关系如果越满意，就会越希望留在这段关系里，希望能继续从伴侣那里得到快乐（Millder & Perlman, 2010）。

人们对关系的期望会影响到关系满意度。不切实际的期望会让人们虽然处于一段不错的关系中，但依然感到不满意。

是否能在关系中得到奖赏感（rewarding），也是影响关系满意度的因素。如果要获得满意的亲密关系，人们在关系中感受到的奖赏感，要高于他们感到自己为关系付出的代价。人们往往从伴侣的正面交流（比如表达爱意、合作、尊重）和伴侣对自己的付出中，获得奖赏感（Millder & Perlman，2010）。

## 2. 对关系的依赖程度越高，越倾向于保持承诺

对一段关系的依赖程度越高，人们会越倾向于从这段关系中获取他们所需的资源和支持，也就更难离开这段关系。一个人即使对关系的满意度不高，也有可能因为高依赖度，而不得不留在这段关系中。一个负面的例子是虐待型关系，虐待者通过限制受害者的经济/情感表达/社交等，迫使对方不得不留在这段关系中（Bradbury & Karney，2013；Millder & Perlman，2010）。

影响关系依赖的因素有很多，比如替代选择（alternatives）的质量。一个人如果可以在现存的关系之外满足自己的需求，那么提供这种关系外满足的人或关系就被称为替代选择。替代选择的对象可以是关系外的情人，也可以是朋友或者家人。替代选择的质量越好，就越有可能使人们倾向于离开自己的伴侣，去通过替代选择来满足需求。

对关系的投入程度也会影响到人们的关系依赖程度。一个人对关系投入得越多，就越倾向于保持承诺。因为一旦离开，就意味着白白浪费了自己之前的大量付出。对关系的投入可能是与自身内在相关的，比如对伴侣进行的自我暴露、投入的感情等等；也可能是外在相关的，像是和伴侣拥有共同好友，或者付出

财产。

还有一种影响因素是生存因素。一个人越依赖于通过自己的亲密关系来获得维持生计的资源与支持，也就越难以离开。生存的需要迫使TA留在这段关系中，不敢轻易打破承诺。

## 如何维护和增进关系中的承诺

### 1. 评估双方的承诺感

在讨论如何保持与提升承诺感之前，我们先要对关系中的承诺感进行评估，看是否有需要对承诺感进行调整。首先，你们要一起讨论彼此愿意对这段关系投入和付出的程度。比如对关系是否满意？最近有没有对未来进行设想和规划？是否觉得双方感情紧密，自己的情绪会受到伴侣情绪的影响？（Millder & Perlman, 2010）

评估过后，你可能会发现你和伴侣的承诺感水平有差异。伴侣们愿意承诺的程度不同是很常见的，如果相差不大，你觉得并不对你的关系产生影响。那么你可以选择不去理会，也许过了一段时间后，两人的承诺感水平又会发生变化。

然而，如果你发现两人愿意承诺的部分差异较大，而且对关系产生了干扰，那么你就需要考虑采取一些措施来重新平衡两人之间的承诺感。

要注意，在双方承诺程度不一致的时候，你可能会产生一种不公平感，认为自己的付出比对方要多。但其实关系中的平等从来都不是等价交换的意思，绝对的公平在感情中是不存在的。很多关系中，都会有一方比另一方付出更多，而两个人仍然可能是幸福的。

**2. 如果对方承诺感过低：降低自己的承诺感或提升对方的承诺感**

（1）考虑降低自己的承诺感或期望

在评估双方承诺感的过程中，你会了解到伴侣愿意付出和投入的程度，以及对这段关系的期望。你可以对比自己愿意承诺的程度，看是哪方面的投入产生了差异。比如如果有一方要去外地工作，你会乐于放弃自己的工作去跟随，但是对方不愿意。那么，你可以考虑是不是在这方面也减少投入，比如也选择维护自己的工作机会。

（2）一种提升对方承诺感的方法：先表达自己的承诺

心理学家Weigel（2014）发现了一种可以提升伴侣承诺感的方法：在日常生活中表达自己的承诺感。研究发现，伴侣越是能感受到你对关系的承诺，TA就越愿意对关系给予承诺。你可以通过下面的方式来让对方意识到你的承诺感。

和伴侣一起规划未来。表现出你希望和对方维持长久的关系。表现出你愿意和伴侣一起解决关系中的问题，告诉对方你愿意和TA站在同一阵线，让对方意识到你为关系做出的"牺牲"。不一定是大的牺牲，而是遇到困境时，你做出了一定的改变。比如在伴侣压力很大时，你会优先考虑对方，于是压抑自己的需求，去做出一些关心的举动。在对方愿意的情况下积极参与对方的社交生活，让对方意识到你愿意更多地了解TA，愿意尝试融合双方的生活。有时也可以直截了当地用语言说出承诺，比如"这段关系让我很快乐，我希望能和你长久在一起"。

### 3. 如果自己的承诺感较低：认清你的阻碍

如果你发现，你是关系中给出承诺较少的那个，而你的伴侣希望你能给予更多的承诺，又该如何改善呢？首先，你可以在纸张上列下自己恐惧的具体内容。比如："我觉得即使我们之间拥有承诺，TA还是有可能会离开我"，或者"未来TA似乎想要出国，我不确定我们的关系会不会持续下去"，或者也有可能是"我对我们的关系不满意，我怀疑我们是否合适"。

随后，你可以和伴侣讨论你承诺感较低的原因，和对方讨论如何共同改善这一情况。有些阻碍可能会和伴侣有关，而有些则可能更多是我们自身的问题，比如我们的过往经验和原生家庭带来的影响。伴侣没有办法帮助我们解决所有困境，我们也需要自己去进行努力，比如向专业的咨询师求助等。

愿大家都能找到那个，能让自己甘愿承诺，也给自己足够承诺的人。

## References

Allen, D.(2012). Commitment phobic. Psychology Today.

Bradbury,T. N., & Karney, B. R. (2013). Intimate Relationships. New York, NY:

McGraw-Hill Higher Education.

BesikciE (2008). The Predictors of Relationship Commitment: Perceived Parenting Styles, Parental Approval, and Psychological Reactance. Unpublished Master's Thesis, Middle-East Technical University.

Campbell,W. K., & Foster, C. A. (2002). Narcissism and commitment in romantic relationships: an investment model analysis. Personality and Social Psychology Bulletin, 28(4), 484-495.

Canary,D. J., & Stafford, L. (1992). Relational maintenance strategies and equity in marriage.Communication Monographs, 59, 243-267.

Coy, J.S., & Miller, M. I. (2014). Intimate partners who struggle with formal commitments: attachment styles, major challenges, and clinical implications. American Journal of Family Therapy, 42(3), 232-242.

Johnson,M. P., Caughlin, J. P., & Huston, T. L. (1999). The tripartite nature ofmarital commitment: personal, moral, and structural reasons to stay married.Journal of Marriage & Family, 61(1), 160.

Millder,R., & Perlman, D. (2010). Intimate Relationship. New York, NY: McGraw-HillCompany.

Rusbult,C. E., Martz, J. M., & Agnew, C. R. (1998). The investment model scale: Measuring commitment level, satisfaction level, quality of alternatives, and investment size. Personal Relationships, 5, 357–391.

Weigel,D. J., & Ballard-Reisch, D. S. (2014). Constructing commitment in intimate relationships. Communication Research, 41(3), 311-332.

Weigel,D. J., Bennett, K. K., & Ballard-Reisch, D. S. (2006). Roles and influencein marriages: both spouses' perceptions contribute to marital commitment.Family & Consumer Sciences Research Journal, 35(1), 74–92.

TA是真的不爱你，还是不懂怎么表达爱

## 表达爱的五种方式，你做到了几种

### 为什么我明明很爱TA却说不出口

实际上，无法表达爱意，源于对自己和他人的不信任。

1. 对他人的不信任

有时人们不相信自己在乎的人也同样爱自己。他们害怕自己的付出得不到回报，比如表达了爱以后会被对方拒绝。也有些人不相信对方的爱会长久，他们认定自己在乎的人有天会离开。在他们看来，表达爱意没有意义，也许只会增加分开时的痛苦。

人们也会担心在乎的人不会善意地对待他们。他们害怕一旦让对方知道了自己的爱，就会被对方反过来伤害，就像把自己的弱点暴露在对方面前。同时，有些人在意自己在关系中的主控权，享受自己在关系中的优势感。他们认为一旦表达了爱，就会受到对方的制约。在他们看来，"表达爱"就等于透露了对对方的依赖，而对方就能以结束关系相威胁。这种被对方控制的可能性，让他们感到虚弱和危险。

## 2.对自己的不信任

有些情况下，人们不怀疑他人的爱与善意，却认为自己身上存在问题。比如，人们可能不相信真实的自己足够好。他们觉得对方喜欢的是一个虚假的人，认定真实的自己配不上对方的好。

## 不敢说爱的四种情形

在很多时候，是这些情形使我们难以表达爱：

### 1.人格特质影响爱的表达：内向者对爱的表达更不直接

内向者喜欢深度的沟通。比起简单、直接地说一句"我爱你"，他们更喜欢用深度聊天的方式，向你表现出他们的在乎。比如和你聊聊他们平时不太和别人聊起的话题，谈谈他们内心深处对世界的看法，等等。

### 2.个人情感经历影响爱的表达：负面情感经历让人很难信任自己和他人

如果人们在关系中曾经遭受过负面事件，例如拒绝与背叛，他们会更难表达爱意。不仅仅在恋爱关系中的负面经历会损害人们的信任，在家庭关系、伙伴关系中受过伤害也会影响一个人爱的表达。比如，如果一个人小时候尝试获得父母的关爱却总是被嘲讽，久而久之，TA坚信"表达爱也不会得到回应"；即使这个人长大了，TA的信念依然没有改变，不相信"如果自己表达爱意，会获得朋友和伴侣的回应"。

**3. 关系状态影响爱的表达：进入婚姻后，人们更少地表达爱意**

一段关系处于什么状态，也会影响到人们对爱的表达。研究发现，当人们还在频繁约会的状态时，人们会积极地表达对伴侣的爱，然而进入婚姻后，爱的表达频率逐渐下降。这可能是因为，约会状态中的伴侣们正是信任上升的时期，双方借由爱的表达进一步释放"靠近"的信号。而结婚后，人们反而担心自我暴露会带来更多问题，影响婚姻的稳定。

**4. 社会环境影响爱的表达："缺乏爱的表达"的生活环境让人们难以表达爱**

如果一个人从小生活在"缺乏爱的表达"的环境，那TA长大后会更少表达爱。因为"爱的表达"是需要习得的，而在那种环境下成长，人们缺乏榜样教他们如何表达爱。举个例子，如果一个孩子从小目睹父母吵架，在TA看来，和他人沟通的唯一方式就是恶言恶语；即使TA希望温柔地对待在乎的人，TA也不清楚该说什么、做什么。

## 那，为什么我们要去表达爱意呢

表达爱意，能给我们的关系带来诸多好处。

### 1. 你不表达爱，对方怎么知道你爱TA

每一次表达爱意，都是在向你在乎的人做出确认，提升对方的安全感。爱的确认肯定了你们之间的关系，让对方明白你此刻是在乎TA的，并且你愿意把关系继续下去。而当对方感到安全时，TA也将更愿意继续投入、维持关系。

### 2. 表达爱意能创造关系所需的积极体验

许多人以为，要维持好关系，只要避免负面事件就行：不吵架、不出轨、不惹事……然而一段良好的关系里，不单是要"不犯大错"，更是要增加积极、正面的体验。在表达爱意的过程中，传达爱意者和接受爱意者都能拥有一段积极、亲密的体验，表达爱意创造了积极的情绪氛围。在那些缺乏爱意表达的关系中，双方可能只是感觉两个人处在一段冷冰冰的关系里，缺乏亲密和温暖的感受。

### 3. 一段健康的关系中，你需要表达真实的自己

表达自己的爱，是给对方一个机会了解真实的你。与他人建立联结需要一定程度的自我暴露，他人不接触到真实的你，又如何靠近你，理解你，与你建立关系呢？而且，通过了解你的感受，对方也掌握了更多信息，能更全面地做出选择。

### 4. 如果没有及时表达爱，会带来痛苦和遗憾

很多时候，如果没有来得及表达爱，它会是我们在今后的时间甚至很多年以内都会感到后悔和遗憾的事情，我们会不断回想"要是当时说出口就好了""要是重来一次，我一定要好好表达"，但是很多机会都只有一次。这种没能表达的后悔和遗憾可能会一直包围着我们，使我们在不断的回想中感到痛苦甚至抑郁，也会影响我们去开展新的感情。

## 爱有五种表达方式，你做到了几种

　　心理学家Gary Chapman博士在他的著作《爱的五种语言》中列出了五种表达爱的方式。博士认为，爱的表达不只是简单地说一句"我爱你"。人们可以试着学习多种表达爱的方式。他介绍了以下五种爱的表达方式：肯定的言辞、投入的时间、给出的礼物、服务的举动、身体的接触。你可以比对看看，你和你的伴侣，分别都做到了几种。

　　**1. 肯定的言辞**

　　多用积极的语言鼓励与肯定对方。语言表达是最直接、最容易被对方接收到的信号。如果一开始你还不习惯直接说"爱"，可以把"我爱你"变成一句描述，比如"我爱你笑起来的样子""我爱你的善良"等等。

　　人们都喜欢被人倾听，当他人发现你认真地听他们说话时，他们会感到被你重视。你可以每隔一段时间，问问家人、朋友或伴侣最近的想法和对未来的打算等等，耐心倾听并给予鼓励。这也是一个机会，让你能更了解自己在乎的人。

　　**2. 投入的时间**

　　很多时候人们更关注相处的时长，比如一周花多少时间在一起。但相处时间的质量也很重要。比起待在一起两小时却毫无交流，一起花半小时投入双方都爱的活动可能会让人感受更好。你可以记下对方喜欢干的事，比如去博物馆、看演唱会或是去公园散步，规划并陪伴对方做这些事。注意在陪伴对方时，要表现出投入。如果你只是在不断刷手机，只会让在乎的人感到敷衍。

### 3. 给出的礼物

礼物是爱的视觉象征。如果你在乎的人喜欢收到礼物，那么你需要好好规划，成为一个送礼者。你可以多观察在乎的人平时在关心什么物品，TA曾经因为收到什么礼物而激动不已，把它们列下来。如果你实在不知道要送什么礼物，也可以考虑问问你在乎的人的朋友，他们或许更了解对方想要什么。有些人不喜欢花钱，他们为自己花钱都困难，一想到要为别人花钱就更难受。但实际上，花钱送礼物不单是为了对方，也是为了我们自己：它给我们带来关系的安全感。

### 4. 服务的举动

服务的举动指的是做对方希望你做的事，是用行动表达你的爱意。有些行动未必需要花费你很大力气——比如在父母看来，吃掉他们做的饭就是对他们的服务——关键是了解你在乎的人希望你为他们做什么。双方可以试着一起写下几件希望对方做的事，作为交换。或许你会发现很多你没有注意到的对方的需求。

### 5. 身体的接触

Chapman博士指出，有些人看重身体的接触。在他们看来，疏远他们的身体，就是疏远他们本身。不单伴侣之间需要肢体接触，朋友和家人也需要，特别是当人们遭遇痛苦和危机时，拥抱可以舒缓情绪。如果觉得身体紧贴的拥抱过于尴尬，可以变成勾肩抱，或者拍拍手臂或手背。

伴侣之间身体的接触会更加亲密。试着吃饭时挨着膝盖，或是提议给对方按摩。你或许会觉得谈论亲密举止很羞耻，但一个人对碰触的渴求，就和TA对一件礼物的渴求一样自然。

## 了解自己与对方表达爱的方式

Gary Chapman博士指出，了解与沟通双方爱的表达方式是很重要的。不同的人会喜好不同的爱的表达方式，就像不同地区的人会使用不同的语言。我们都有自己最先习得的爱的表达方式，就像每个人都有母语一样。

而双方爱的表达偏好不同，会使得一方觉得自己已经努力表达爱意了，另一方却总觉得不够，从而产生不满与冲突。像两个语言不通的人彼此无法沟通，感情就在沟通不畅中破裂。所以，很多时候不是你表达得不够或是做得不好，而是因为你们没有了解和学习彼此的爱的表达方式，没有做出有效的爱的沟通。

Chapman博士认为，要改善这点，关键是我们得站在对方的角度上，了解对方喜欢什么，而不只是拘泥于我们自己偏爱的爱的表达。也许对方给你的关怀不是你最喜欢的，却是TA心目中最美好的东西。人们需要就这点沟通和交流，确保双方没有误会彼此的付出，并根据双方的喜好调整爱的表达。

我们除了要学会表达爱，也需要学会辨识对方的表达方式。每个人偏好的表达方式都不同。比起强迫对方按照自己偏好的方式去表达，不如接受和享受对方的表达方式。当然你也可以提出你的期望，对方如果爱你，也会愿意做出一些调整，但你们必须是双方共同做出一定程度的妥协，而不是一方无穷尽地、高标准地要求对方。

## 把爱的表达变成一种日常习惯

最后，不要刻意地表达爱意。研究发现，当一个人刻意地对他人做出维持关系的举动时，对方能察觉到这种刻意。而一旦人们认为某种行为别有目的，便会保持警惕和距离。试着把表达爱意变成日常的小习惯，接受爱意的一方会更容易做出回应。

此外，爱的表达也需要不断地练习。越表达，越会表达。如果不开始试着展现爱意，人们始终会对爱的表达感到陌生和焦虑。就像当你第一次说"我爱你"时可能会感到别扭，但第一百次说"我爱你"时会自然很多。不妨从今天开始，试着对你在乎的人表达爱意吧。

## References

Chapman, G. (1995). The five languages of love.Chicago: Northfield.

Dainton, M., & Aylor, B. (2002). Routineand strategic maintenance efforts: Behavioral patterns, variations associated with relational length, and the prediction of relational characteristics.Communication Monographs, 69(1), 52-66.

Degges-White, S. (2016). Are You Afraid to Say "I Love You"? Psychology Today.

Helgoe, L. A. (2013). Introvert power: Why your inner life is your hidden strength. Sourcebooks, Inc..

Kirshenbaum, M. (2012). I Love You But I Don't Trust You: The Complete Guide to Restoring Trust in Your Relationship. Penguin.

Miller, R. (2014). Intimate relationships.McGraw-Hill Higher Education.

Naylor, A. (2010). The Power of Expressing Your Love. Huffington Post.

"我都这么生气了，你就不能说句话吗？"

# 亲密关系中的沟通僵局

"我话都说到这个份儿上了，你能不能说句话？"——不知道你有没有对人说过，或是被人问过这句话。

生活中我们可能都见过这样一种人：平时你们的沟通也许不错，但一旦在你想和TA进行重要但困难的沟通时，TA就会开始以沉默来应对。在尝试沟通时，不管你如何要求TA开口，希望TA表达自己的想法，TA也依然只会沉默。

慢慢地，你觉得自己越来越生气，可对方却丝毫不为所动，甚至让沉默更加彻底，让沟通陷入僵局。

沉默，可能真的是人类的互动方式中最令人费解，也最容易让人误解的一种。这样的沉默在亲密关系中，可能是最为常见，也是最令人抓狂的。你在关系中遇到过这样的沉默者吗？

## 为什么你越激动，TA越沉默

我身边也不乏感到对自己"墙一般"的伴侣无计可施的朋

友，他们总爱问我："你说TA到底是故意气我，还是真不知道说什么？"我的答案通常是，两者皆有可能。

沉默，有时是一种主动选择的策略，有时也可能是一种被动启用的防御机制。下面来分别聊聊这两种情况。

### 情况一：沉默是一种武器，我用它来伤害你

故意的沉默相待（Silent Treatment）是一种常见的情感操控方法，也是一种被动型攻击的形式。临床心理学家Harriet Braiker认为，这样的沉默是一种对对方的惩罚。当沉默被用作一种策略时，他们的沉默有明确的目的——获取权力、表达愤怒、引起关注，他们也清楚自己这样做的后果——包括对对方造成伤害。

在对方急切想要沟通的时刻，保持沉默的那一方，与情绪激动的一方相比，通常是处于权力上风的。至少在那一次特定的沟通中是如此。因为比起对方，他们掌握着更多的信息量，感受到更多的确定性。他们基本清楚对方现在的感受如何，想要什么，以及期望自己做出怎样的反应，而是否予以回应的权力却掌握在他们自己手中。

此时，沉默是他们刻意给对方制造的不确定感（sense of uncertainty）。这种不确定感对任何人来说都是一种折磨。

### 情况二：除了沉默以外，我不知道还能做什么

有的时候，在特定的沟通情境中保持沉默，也是一种出于自我保护、对关系和对方的保护的本能反应。当沉默作为防御机制时，通常有三种情况：

## 1. 一种习得性无助的表现

在话还没有说出口之前，沉默者就已经抢先"无效化"（invalidate）自己的话。他们预设了对方不会听也不会理解自己，觉得自己说的没有意义。这种对沟通结果的悲观预期往往不是凭空产生的，而是与过去负面的沟通经验有关系。

## 2. 因为对情绪的焦虑进入了僵死（freeze）状态

会遭遇沉默不语的，往往是会让人感到一定压力的场景。比如谈论严肃的话题，或是对话的另一方情绪十分激动。

一直以来，社会大众与研究者们都认为，人们在压力状态下会做出"战或逃"（fight or flight）的选择，或者投入战斗，或者转身逃跑。近年来逐渐有研究者指出，除了"战或逃"，人们还会出现一种叫"僵死"（freeze）的反应（Heaney，2017）。

这是人们在面对让自己感到巨大压力时的一种应激反应。在僵死的状态下，人们的表现与战或逃时的反应不同。此时，血压下降，行动与声音都被抑制，看上去可能如同昏死一般（Schmidt，Richey，Zvolensky，& Maner，2008）。这是最难以控制的一种情况，在这种情况中，沉默者可能真的由于过度紧张和焦虑，而"大脑一片空白，说不出任何话来"。

那些过于恐惧和紧张以至经常陷入"僵死"的人，也存在一些共性。他们可能本身就是焦虑水平更高的人，这使得他们总是对这些情境做出"灾难化"的解读；他们还可能是本身就对他人情绪更敏感也更容易被蔓延过来的情绪浸染的高敏感者；又或是由于自小没有习得处理冲突和应对他人情绪的能力，使得他们在这样的情境里格外的如临大敌。

### 3. 避免争吵

部分人对沟通抱有的一个误区是：争吵才是最糟糕的情况。而只要自己保持沉默，双方就"至少没有吵起来"。即使对方因为自己的沉默丧气离开，也会比吵起来要好。

如果抱有这种迷思，他们甚至会觉得沉默是一个还不错的计策，至少能让对方先"冷静下来"。

在一方一直沉默不语的沟通中，另一方往往都是处在一种试图打破沉默、情绪激动、迫切地想让对方开口的状态。两个人形成了一种在心理学研究中被称为"要求—退缩"的沟通模式（Demand-Withdraw Pattern）。它通常出现在两人产生矛盾或冲突的时刻（Christensen，1988）。

"要求—退缩"模式最常被放在亲密关系和婚姻中进行研究。在这种模式中，一方扮演着"要求者"（demander）的角色，另一方则是沉默的退缩者（withdrawer）。要求者是那个寻求改变、讨论，或是寻求问题解决方案的人；退缩者则是那个希望结束或是回避关于问题的讨论的人。在这样的沟通情境中，要求者和退缩者是一对固定搭配（Papp，Kouros & Cummings，2009）。

在对异性恋情侣或夫妻的研究中发现，女性更多地扮演要求者，而男性更多扮演退缩者（Christensen et al.，2006；Christensen & Heavey，1990）。但研究者们普遍认为，导致这种性别差异的并不是天生因素，而更多地与社会对性别角色的期待有关。

研究者们还发现，在一段呈现出这样的沟通模式的关系中，要求者几乎总是更想要改变的那一方。不论是改变这种模式，还是改变对方（Heavey et al., 1993; Klinetob & Smith, 1996; Holley et al., 2013）。从这个层面上来说，要求者通常也都是这段关系中更痛苦的那一方。

虽然同样身在其中的退缩者并非不会感到痛苦，但沉默和退缩对于他们来说的确是一种有效的自我保护机制——至少短期是有效的。他们看似在承受着要求者的情绪和指责，但他们并不会像要求者那般困惑、无助和无计可施。就像前面所说的，沉默者在这个场景中都拥有着相对更高的权力位置。

而研究者认为，这种模式一旦形成就难以改变的重要原因之一，是沟通中的双方都倾向于认为会变成这样是对方的问题，认为主要是对方的行为促成了这种模式。不论是要求者还是退缩者，在问卷报告中都会说自己是"不得不这样做""只能这样做"（Schrodt & Witt, 2008）。

另外，可以肯定的一点是，要求—退缩的模式极易演变成一种恶性循环。一方越是提出要求，对方就越是回避；一方越是急切地想让另一方开口，另一方越是难以开口。

在这个循环中，双方的情绪、负面反应和未解决的矛盾都会不断累积，要求方因为要求从未得到满足，所以越来越困惑、愤怒和急躁；而退缩方面对这样的伴侣，就只会越来越紧张、焦虑和恐惧，于是只能沉默。逐渐地，要求者在沟通中会表现出越来越多的批判和怨怼。他们会对退缩者的退缩做出多种解读，并在沟通原本的矛盾的基础上附加对他们沉默的批判（Eldridge & Baucom，2012；Eldridge，Cencirulo，& Edwards，2017）。如此一来，唯一的结果便是退缩者只会更加想逃。

但无论退缩者如何表现自己在不断受到逼迫，我们还是要明确：研究指出，沉默者是在这类情境中享有更多权力的人，而要求者实际上才是更加寻求关系中新的状态的那个人。很沮丧地说，"在乎的人（在当时的情境中）更容易输"是有一定道理的（当然KY认为他们长期之后更释怀的概率也要更高，因为认为自己尽力尝试了）。

Schrodt 和Witt（2008）对样本总计超过14000人的74个关于"要求—退缩"模式的研究进行了总结和分析，他们发现，那些呈现出这种沟通模式的伴侣都对关系有着更低的满意度，与伴侣间的亲密度和信任感更低，更容易出现矛盾，交流更少。

一旦这种沟通模式被建立起来，要求者和退缩者都会更频繁地感受到愤怒、焦虑、抑郁和恐惧等负面情绪。

此外，要求者还会时常产生一种被遗弃感和被拒绝感。这种有毒的沟通模式长期持续还会对双方造成一些生理上的影响，其中包括损害两人之间性生活的质量。

另外，在这样的沟通中，几乎所有矛盾都会停滞在"未解决"状态，不断地累积，不断地影响两个人的关系。John Gottman和Nan Silver在《爱的博弈》一书中提到，我们对未解决的事项的记忆力，要比对已完成和终止的事件的记忆力强约两倍。

也就是说，在亲密关系中，伴侣间的争吵如果能够以双方达成了共识为结局，这段争吵就会很快被遗忘。那些幸福的情侣并不像他们所回忆起的那样，"我们几乎没有矛盾"，他们只是顺利地忘记了那些被好好解决了的矛盾。而也只有在当下就被解决了的矛盾，才会更快地被遗忘，不再继续影响两人的关系。

## 处于"要求—退缩"模式中的人应该怎么做

### 如果你是要求的一方

对于要求者来说，最重要的一件事就是，你要在两个人的沟通又疑似出现这个征兆时意识到它，并控制自己不要再次进入到模式之中。

当对方开始退缩时，你的情绪会本能地推动你去进一步地、以更激烈的形式提出要求，但这时你的要求可能也已经逐渐脱离了沟通的目的，变成了情绪的发泄。而你清楚的，接下来等待你的只会是更漫长的沉默。

你需要意识到，不论对方究竟是出于对你的攻击，还是对自己的保护，TA在此刻的情绪主要就是两种：愤怒和恐惧，而它们也正是TA想要退缩的主要原因。但，你要求的姿态本身就会加重对方的愤怒和恐惧，因此它只会起到反作用。

那么，当对方开始退缩时，你能够做些什么呢？答案是，你也应该后退一步。这才有可能从根本上改变这种沟通的模式，重构沟通的可能。你的退缩本质上是在移除TA的压力源。

如果你确定你的目的真的是沟通，而不是情绪的宣泄的话，你应该做的第二件事，是去抚慰对方的情绪。这是因为，敏感的沉默其实能够意识得到你是真的想要抚慰TA，还是仅仅想要"骗"TA说话。而后者同样只会带来反效果。

接着，你需要做的是认真地重申自己沟通的目的。并注意在和对方重申时，更多地使用"我们"，而不是"我"和"你"，时刻提醒TA和自己，在这段关系中你们是一个共同体，这场沟通的目的也是为了让你们两个更好。

另外，在这整个过程中，非语言的表达是特别重要的——你的语音、语调、面部表情和身体姿态，都可以为沟通的顺利进行助力。因为对于退缩者而言，他们对这些非语言信号的警惕性可能不如语言那么高，从这些方面入手，传递给他们的信息，是更能被他们所接受的。

**如果你是沉默的一方**

作为沉默者，且你的动机并不是想要攻击对方的话，你同样可以练习用非语言表达代替语言表达。即使你是因为过度焦虑和紧张陷入"僵死"状态，给予对方非语言的回应也是更有可能做到的。仅仅是刻意地更靠近TA一些，都可以传递出很多积极的信息。

另外，深知自己在特定情境中就说不出话的沉默者，还可以给自己准备一套"不说话的词典"。你可以记录下自己在那些只能沉默的时刻内心所想的话，把它们记在一个本子上，从很简单的"我现在很难过",很真诚的"我真的很想回应你,但我这个时候也是真的不知道说什么好",再到很具体、很详细的内容。当你不知道怎么开口时,便可以打开你的词典。

其实,比起要求者,沉默者的改变其实是更加困难的。沉默者有时是确实不具备面对冲突的能力,沉默的倾向也更有可能与人格特质相关,而这两者改变起来都是更加困难的。

因此,我们给了需求者更多建议,并不是因为他们在这个模式之中存在更多的问题,正像前文中说的,他们恰巧是更痛苦的一方,而只是因为他们的改变是相对容易的。

但不论你是哪一方,希望你都能够在一些时刻,为了两个人共同的"舒服",忍受一点自己的"不舒服",也在一些时刻,学着把"我们"放在"我"之前。

## References

Christensen, A. (1988). Dysfunctional interaction patterns in couples. In Noller, P., Fitzpatrick, M. A. (Eds.), Perspectives on marital interaction (pp. 31–52). Clevedon, England: Multilingual Matters.

Christensen, A., Eldridge, K., Catta-Preta, A. B., Lim, V. R., Santagata, R. (2006). Cross-cultural consistency of the demand/withdraw interaction pattern in couples. Journal of Marriage and Family.

Cummings, E. M., Davies, P. T., & Campbell, S. B. (2000). New directions in the study of parenting and child development. Developmental psychopathology and family process: Theory, research, and clinical implications, 200-250.

Eldridge, K., Cencirulo, J., & Edwards, E. (2017). 12 Demand-Withdraw Patterns of Communication in Couple Relationships. Foundations for Couples' Therapy: Research for the Real World, 112.

Heaney, K. (2017). When stress makes you fall asleep. Science of Us.

Heavey, C. L., Christensen, A., & Malamuth, N. M. (1995). The longitudinal impact of demand and withdrawal during marital conflict. Journal of consulting and clinical psychology, 63(5), 797.

Klinetob, N. A., & Smith, D. A. (1996). Demand-withdraw communication in marital interaction: Tests of interspousal contingency and gender role hypotheses. Journal of Marriage and the Family, 945-957.

Papp, L. M., Kouros, C. D., Cummings, E. M. (2009). Demand-withdraw patterns in marital conflict in the home. Personal Relationships.

Schmidt, N.B.,Richey, A., Zvolensky, M.J., & Maner, J.K. (2008). Exploring human freeze responses to a threat stressor. Journal of Behavior Therapy and Experimental Psychiatry, 39(3), 292-304.

Schrodt, P., Witt, P. L., & Messersmith, A. S. (2008). A meta-analytical review of family communication patterns and their associations with information processing, behavioral, and psychosocial outcomes. Communication monographs, 75(3), 248-269.

## 依赖无能："我就是不喜欢依赖别人"
### 他们为什么在情感中如此疏离

有个朋友曾表达过这样一种烦恼："我发现自己是一个特别不会依赖别人的人。虽然我也会感到孤独，但每次向别人求助、提要求，我都会感觉不舒服，于是大多数事情上我都选择自己扛下来。以前我没觉得这有什么问题，但后来我男朋友总是跟我抱怨在我身边找不到存在感。我想问，人一定要依赖别人吗？我这样有问题吗？"

这让我想到了一个叫"依赖无能"（counter-dependency）的概念。据临床心理学家Jonice Webb的总结，以下这些信号能够帮助你判断自己是否是一个依赖无能者：

有人会用"冷漠"来评价你

你希望给他人留下独立、强大的印象

爱你的人曾抱怨你在情感上过于疏离

你习惯自己的事情自己做

向他人求助对你来说异常艰难

在太过亲密的关系中你会感到不适

示弱或是暴露自己的脆弱会让你感到极其不舒服

你时常会感到孤独，即使身边有亲人和朋友

如果你发现你自己也是或是身边也有这样的依赖无能者，这篇文章也许会给你一些帮助。

## 不会依赖别人的人是什么样的

美国心理学家Janae Weinhold和Barry Weinhold（2008）在他们所著的关于依赖无能的书中指出，这个人群对于依靠别人这件事是心怀恐惧的。他们乍看之下可能是强大、自信，甚至是很成功的，但在内心他们其实脆弱不安，虽然害怕，却又隐隐渴望着亲密。

如果这个人群中存在一句共通的咒语，那一定是"我不需要任何人"——对别人这样说的同时，也在内心这样告诉自己。

从行为上来看，他们会尽可能地回避对他人的需要，如果不得不依靠别人或者寻求外界的帮助，他们会感受到强烈的羞耻和尴尬，甚至还会因此厌恶自己。这种依赖也包括情感上的，比如在自己非常难过、孤单的时候也不愿意告诉身边的人，寻求慰藉与关怀。

与依赖别人相比，他们相对更能接受被别人依赖。但比起这样，他们更希望别人也不要依靠自己。因为，依赖无能者往往对"依赖"这件事本身抱有负面的评价，认为"自己的事就该自己做"。他们不喜爱也不擅长应付来自他人的依赖。

于是，在人际交往中，他们有"逃避人际交换"的倾向。也就是说，最好你是你，我是我。对他们而言，似乎只有避免你来我往的付出，才能获得"孤岛般的独立"。

因此，依赖无能者最大的问题就是，他们无法与他人建立深刻的联结和长久的关系。他们身边可能也不乏朋友和熟人，但那些试图亲近他们、与他们建立联结的人或多或少，都会在某个时刻发现和他们之间像是隔了一堵墙——到了一个点就很难再靠近。

这是因为依赖无能者鲜少在人前暴露自己的脆弱，让他们的伴侣和身边亲近的人时常产生前文中说的"找不到存在感"的挫败心情，好像自己的存在对对方而言是可有可无的。

另一方面，依赖无能者即使面对亲近的人，也会把得到和给予的关系算得格外清楚——"你帮了我一次，我一定要在下一次帮回来"。长此以往，对方难免会感受到他们的疏远和"客气"。

依赖无能者并不是从不会有依赖别人的冲动。在一些波动的瞬间里，他们会明确地感受到自己想要亲近、依赖他人的愿望。但他们却会对人际交往中各种微小信号的过度解读，极其容易将他人的一句话、一个表情理解成对他们的拒绝，从而一瞬间就打消自己的念头，并从此用更加严实的"外壳"武装起自己。

依赖无能者不是发自内心地不想要依靠别人，也不是不渴望亲密的联结。只是，表达需求对他们来说是那么困难，所以他们的需求常常会以别的形式表达出来。比如，他们可能经常让别人听到、看到自己的抱怨，却又拒绝帮助；甚至去指责、控诉对方没有做好，来别扭地表达自己需要对方的事实。由于表达需要的方法是负面的，关系反而可能变得更加糟糕。

## 无法依赖别人的实质是什么

### 1. 无法依赖别人与自身的匮乏感相关

在成长过程中，如果长期感到需求无法被自身拥有的资源所满足，就会产生一种长久的匮乏感。

这种匮乏感不一定是客观上的贫穷，也有可能是家长主观告诉他们的。比如，有一些家长由于自身的匮乏感，或是不懂得正确的教育方法是怎样的，他们会习惯于夸张地跟孩子强调："我们家很穷，你要节约""养你太费钱了，我们都快要养不起了""也不知道花这么多钱养育你，你长大后能赚几个钱"……

在这样的匮乏感中长大的孩子会建立起一种脆弱的自尊感—— 一种"我没有"的低人一等的感觉从年幼时就和他们如影随形。对于一般人来说，接受别人的付出，带来的感受是温暖；但对他们而言，接受别人的帮助让他们感受到的，更多是虚弱和没有力量——他们不会感到在这种交换中自己与对方是平等的，而会感到自己不得不承受他人的"赐予"，TA会不自觉地把自己放在更低一级的位置上，又因为这种感受被刺伤。而这种感受正是来自他们童年那些匮乏的经历。

他们会认为，需要依赖别人、接受别人付出的那一方是更加弱势的、低姿态的，即使事实并非如此。他们排斥将自己置于这样一个弱势的情境中，就算不得不接受他人的付出，他们也会想方设法地"还回去"，来恢复内心的平衡。

**2. 无法依赖的本质也是信任感的缺失**

Weinhold（2008）在书中指出，我们在三岁以前需要完成最重要的两件事情：一是与父母的情感联结；二是从心理上认识到自己是一个独立的个体。而依赖无能的形成则是因为没能完成与父母之间健康的联结与分离。

情感联结的建立是健康的分离发生的前提。这种情感联结指的是，父母会肯定孩子表达自己，会在他们需要依靠时给予支持和帮助。孩子在这个过程中能够明白，自己的情感需求是正当的、合理的，他们不管在感到开心、难过、迷茫还是脆弱时，都有地方可以去，都有人可以依靠。而我们的安全感，以及对他人、对世界的最初的信任感也正是在这个过程中被建立起来的。

这种情感联结带来的信任感包含了三个方面：第一，相信自己对他人的需求是被欢迎的；第二，相信他人有意愿且有能力帮助自己；第三，相信依赖他人、提出需求这个举动不会带来针对自身的负面评价，对方不会利用自己暴露出来的脆弱反过来伤害自己。

但是如果在本该与父母建立情感联结的阶段，我们感受到自己的情感需求既不被鼓励也不被接纳，甚至总是在想要寻求依靠的时候感受到了负面的信号。比如，虽然父母为自己的付出，也接受了自己的依赖，但他们的态度却总是给孩子一种"我在给他们添麻烦"的感觉。如此一来，孩子就会对这个世界和他人产生出一种不信任的感觉。

上面说到，我们要先建立起健康的情感联结，才能够在成长中完成与父母的分离，实现真正的独立。这种"分离"并不是物理上的，而是在精神上意识到自己是一个独立的个体，我们可以有自己独立的想法、情感和决定。

这是因为，我们能够从健康的联结中获得一种自信——从他人对自己的接纳中，我们也认可了自身。所以，我们才会开始相信自己的判断，相信自己的感受是有价值的，从而也有能力从自己的内部感受出发，去为自己的人生做决定。

而那些没能形成情感联结的孩子，有一部分会走上错误的分离道路。他们看似非常独立，但其实这种独立并不是从他们内心的感受出发的，而是即使当内心感受到对他人的需求时，也强迫自己不去这样做。他们这种"独立"实际是基于别人对自己的评判——他们只是在做一个别人眼中的独立的人。

## 依赖无能者要如何学会依赖，建立真实的联结

### 1. 认识到你对依赖的恐惧

想要消除你对依赖和脆弱的恐惧，你需要先意识到自己的恐惧。有很多依赖无能者都不明白自己这种不依赖别人的状态并

不是因为不想，而是因为不敢。为了帮助自己认清，你可以试着问自己几个问题：

你是否因为不会依赖而失去了很多本可以获得的帮助、支持和机会，使你在很多时候让自己处于一个不利甚至不公平的位置上？

不会依赖别人这件事是否常常让你感觉自己孤立无援，在这个世界上是孤孤单单的一个人？

"不依赖别人"是否总是变成阻碍你和他人关系的绊脚石，让你感受不到人与人之间联结的深刻和丰富，而这给你带来了痛苦？

可以发现，判断的关键在于你的这种不依赖，或者说是"独立"带给你的究竟是快乐还是痛苦。

**2. 承认和尝试交流你的恐惧**

有时候，在和他人的关系中表达需求和脆弱可以从告诉对方你有多害怕开始。你可以明白地告诉对方，你有隐藏的无法被表达的事实和情绪；或者在想要表达的时候，是什么原因可能令你感受到不安全；或者在你曾经试探时，是否是对方的反应和举动令你犹豫和退却。你们可以共同分析这种恐惧的来源，这将对你进一步表达提供有效的帮助。

你们对彼此的依赖，是逐渐展开和深入的。你的每一次表达都仿佛一种测试，当一次次被证明，你的不安全感是多余的，对方能够接纳、能够让你依赖，并且未曾离开时，你们的信任关系就会更加坚固，表达脆弱和依赖对方也变得越来越自然，你们也会更深入地了解对方，建立联结。而如果"脆弱测试"的结果证明，TA并不能给予你想要的回应，TA的表现是冷漠的，甚至是伤害你的，那么也有助于你进一步地评估和决定这段关系。

你需要知道，相互依赖对于一段关系而言是必不可少的养分，而不是负担。一个真正爱你的人，也会在你向TA寻求依靠的过程中获得安全感，以及对这段关系的信心。

### 3. 从小事开始练习依赖

虽然你已经让对方明白了你的恐惧，也意识到了自己的问题在哪里，你也要知道学习依赖不是一个一蹴而就的过程。

你可以从很小的事情开始，比如在你感冒生病的时候，请求对方帮你倒一杯水、买一盒感冒药。从这样相对积极的小事做起，要比一开始就让对方帮自己一个大忙，或者"掏心窝子"要简单。

## References

Henriques, G. (2014). Signs of Counter-Dependency. Psychology Today.

Weinhold, J.B., & Weinhold, B.k., (2008) The flight from intimacy: healing your relationship of counter-dependency, the other side of co-dependency.

Webb, J. (2017). The Curse of Counter-Dependence. Psych Central.

## "我为什么无法拥有一段稳定的亲密关系"
# 什么是缺乏主动控制力

我们收到过一条很长的留言：

不知道为什么，每当关系里出现了一点点让我感到不满意的地方，比如，对方没有及时回复我的消息，我就会十分愤怒，开始质疑他是否已经不像当初那么爱我，那么重视我了，甚至和他大吵大闹……我常常都会因为类似的一些很小的事情，就忍不住全盘否定我们的感情。

但不多久，比如，当对方开始及时地回复我的时候，我就会立马觉得他还是很爱我、很在乎我的，之前可能只不过是在忙手头上的工作。我还会为自己之前怀疑对方、否定彼此的感情而感到懊悔和愧疚，觉得自己不应该因为一点小事就患得患失，不应该对他发脾气。

他不止一次地说我"太作了"——喜欢的时候，就觉得他是完美伴侣，对他痴迷，对他百依百顺；不喜欢的时候，又对他厌恶至极、恨之入骨，只想立刻一拍两散。最近，他提了分手……说自己太累了，他只想要一段比较稳定的感情，不想这样时好时坏。可我也不想这样，但我不知道自己为什么会这样，我该怎么办？

有着这样类似困扰的人其实并不在少数。他们对另一半的感情总是在两个极端之间来回摆荡——时而将对方视若珍宝，时而又将其视若仇敌；并且，他们对自己感情的这种"摆荡"束手无策，也往往因此很难拥有一段长久稳定的关系。

尽管，这样对待感情的方式，总是被笼统地概括为"作"，但其实，这背后可能有着更深层的心理动机。

## 情感的反复，可能源于"理想化与偏执化"的扭曲

理想化的扭曲（idealized distortion），指的是人们把他人过度理想化，认为对方是完美的，是真诚地、善良地爱着自己的；而偏执化的扭曲（paranoid distortion）指的就是人们偏执地认为他人是无情的，甚至是会欺骗和伤害自己的，即便事实并非如此（Clarkin，Yeomans，& Kernberg，2006）。

尽管在日常生活中，我们都会或多或少地理想化某一些人，比如，美好的初恋情人；又或者偏执化另一些人，比如，曾经伤害过自己的人。然而，不同的是，有着理想化与偏执化扭曲的人，他们的理想化与偏执化都是极端的，并且是在对待同一个人时交替产生的感受。

正如留言中所说，他们会在理想化伴侣的时候，把对方认为是完美的，而在偏执化的时候，又认为对方一无是处。并且关系里的一些小事，比如对方是否及时回复自己的消息，就会激发他们在这两种极端之间来回"切换"。

事实上，这种理想化与偏执化的扭曲，是一些人应对内心负面感受的防御机制（Clarkin，et al.，2006）。

理想化的扭曲，可以说是一种最原始的防御机制（primitive defense mechanism）。人们通过理想化一些关系来自我保护，仿佛这种被理想化了的关系的存在，意味着"有一个完美的人全心全意地爱着我"。于是可以证明他们自己是"值得被爱"的，是"可以被爱"的，从而使内心的焦虑感能够得到缓解和安抚。对于用理想化这种手段自我抚慰的人来说，每每想到那个理想化的对象存在且爱着自己，就会感到由衷的温暖和快乐。

而偏执化的扭曲，则是一种"投射"。当人们太想要摆脱自己内心的不安和痛苦（比如，不相信自己可以被爱着）时，便有可能把它投射至外部他人，认为是他人的伤害造成了自己的痛苦——因为当伤害来自外部而不是自身的时候，我们便有了正当性去对付它。这就是为什么留言中，对方没有立即回复，便会让TA怀疑对方不爱自己而大发脾气。其实，TA是因为那一刻自己内心深处的一些感受而痛苦，比如"我总是一个被人抛弃的人""我是一个没有人爱的人"。

人们之所以会形成理想化与偏执化扭曲这样的"防御机制"，与他们童年的不良经历是密切相关的。不仅如此，这些

"负面的感受"，比如内心的焦虑感或不安和痛苦，有时候可能也并不来自当下的这段关系，而是童年的痛苦经验。它们仿佛久治不愈的伤口，持续地隐隐作痛。

甚至可以说，真正让他们陷入情感反复、"时好时坏"的，可能并不是表面上对方是不是及时回复了消息，而是过去的经历在他们内心里遗留下的焦虑、不安和痛苦的感受。

那么，什么样的经历会让人们形成这样的理想化与偏执化的扭曲呢？

我们曾不止一次地提到，当我们还是个婴孩的时候，由于认知与心理功能尚未发育完全，我们对于外在他人的认知是局部的、碎片式的。比如，当照顾者（主要是母亲），回应我们的需求时，我们便会认为TA是"好的"。而当TA未能回应我们的需求时，我们便会认为TA是"坏的"（Klein，1935）。

随着在与照顾者的互动中积累了足够多的被满足/关爱的经验，以及认知能力的发展，我们才有了对"外在现实与内在感受"复杂性的理解力和容忍力。

意思是说，我们才能够逐渐认识到真实世界并非是非黑即白的，"好与坏"可能同时存在于同一个人身上，才能够理解"一个我认为的好人、爱我的人，也可能做出一些让我感到不满的事"。并且在照顾者偶尔无法满足我们的时候，逐渐学会去忍受这种暂时的不快。

由此，我们也才拥有了一种对他人的完整的、连贯的认知（an integrated concept of others）（Klein，1957；Clarkin，e tal.，2006）——在成年之后，当面对所信任的人偶然做出的令我们不满或失望的事情时，我们对TA的态度与看法也才不会轻而易举地被颠覆。

相反，如果我们在幼年时期，没有得到照顾者足够的关爱与回应，甚至持续地被忽视或虐待的话，我们对他人的认知便会停留在之前的"分裂"（splitting）状态（Klein，1946）。即在绝对的"好与坏"之间来回摆荡——当对方做出让我们满意的举动时，我们便会"理想化"，而当对方令我们不满时，我们便又立刻"偏执化"对方。

不仅如此，幼年时得不到回应与关爱，还会在我们心中留下持续的焦虑、不安与痛苦等负面感受，这便是前文所谓的"久治不愈、隐隐作痛的伤口"。

在过去那个"创伤性"的环境中，理想化与偏执化扭曲的确是发挥着一定的功能与保护作用的。比如，它使得人们在得不到满足与爱的时候，可以通过理想化在内心拥有一个完美的照顾者的陪伴。

不过，当人们不再处于那样的情境时，就需要有意识地去觉察自己的这种理想化与偏执化的扭曲，并且管理和调节与之相关的情绪和行为。因为显然，这种模式，对关系有着巨大的破坏力。当偏执化扭曲发生时，对关系是充满毁灭性的。


## 缺乏主动控制力（Effortful control），"情感反复"便

## 转化为损害关系的举动

人们之所以能够有意识地调节和控制自己，避免让情感的反复伤害到彼此的关系，就需要依赖于一种被称为"主动控制力"的特质。

主动控制力，指的是人们能够在面对一些情境时，有意识地克制自己的"首选"（dominant）反应，而选择做出"次选"（subdominant）反应的能力（Rothbart & Bates，2006；Eisenberg，2012）。它涵盖了人们对于自己注意力、情绪、行为等的自主调节能力，是个体自控力的一个方面。

也就是说，当面对对方在某件事情上无法满足我们，比如，没有及时回复消息时，我们能够主动地控制，有意识地让自己从"关注对方没有回复"（首选反应）转移到"想着TA平时有空的时候都是会及时回复消息的；TA很坦诚，有什么事情也会直接表达；TA一直以来都很爱我"（次选反应）。

抑或是，我们会在对方没有回复时，感到愤怒。而愤怒可能会让一个人做出冲动的、破坏性的举动（首选反应），比如疯狂打电话联系对方，逼迫对方给解释，威胁要分手，等等。然而，主动控制会让我们能够感受到愤怒的同时，选择不做出冲动的举动（次选反应），比如，试着等到对方回复自己时，再询问刚才不回复的时间里发生了什么。

这种主动控制力不仅能够有效地帮助人们避免"一叶障目"，让人们主动地去看到对方当下的行为之外的"整体"，避免自己因为偶然的事件就全盘否定对方。也能够帮助人们调节和控制冲动的行为，避免因情感的一时波动而做出伤害关系的举动。

这种主动控制力的形成与发展，被认为受到先天与后天因素的共同影响。研究发现，那些在基因上表现出某种与血清素相关的多态性（serotonin-related polymorphisms）的人，更可能天生缺乏这方面自控的能力（Eisenberg，2012）。

另外，中科院对双生子的研究证明，那些从小接受更多温暖平和、更少敌对严厉的家庭教育的孩子，能发展出更好的主动控制力（Fei，et al.，2011）。

研究者们认为，这主要是因为孩子能够在与家长的互动中，观察学习家长们"主动控制"的行为模式（Eisenberg，2012）。比如当父母被孩子惹怒之后，仍能心平气和地与之讲理，孩子便可能从中习得面对愤怒所能做出的次选反应。

看到这里，也许很多人也会困惑：如果自己也是这样容易情感反复，时而将对方理想化，时而又将对方偏执化，并且常常都控制不住做出伤害对方和彼此关系的事情，应该怎么办？

## 如何应对情感的反复与缺乏主动控制力

首先，你要学会在当时当地的情境中去看待对方的行为，因为往往"一叶"之所以能"障目"，与人们的过度想象和解读有关。比如，在对方没有回复的时候，有些人也许会想象对方可能正在做一些背叛自己的事，或者，对方之所以没有及时回复自己就是因为TA已经不如从前那样重视自己、在乎自己了。

但，很多时候，"未及时回复"就是未及时回复本身，而它所承载的其他意义是我们主观赋予的。

其次，你也要学会从情境中走出来，不要失去整体性与复杂性的眼光。要学会去理解这个世界与他人的复杂性，真挚中也可能包含做作，高尚中也可能包含龌龊，而在邪恶里也同样找得到美德。即便在与对方陷入矛盾冲突或是令你不安痛苦的时候，也要能够想起你们彼此拥有的美好时光，或是一起克服困难的时刻。

最后，一段稳定、安全的关系，也能够在某种程度上帮助到你。这段关系不一定非得是亲密关系，也可以是专业的咨询关系。对方不会因为你的理想化与偏执化扭曲，情感的反复起伏而离开，能够在面对你的"偏执化扭曲"（激怒TA、伤害TA）时，仍然关心、支持你，能够持续地给予你安全和信任，满足与回应。

这一方面能够帮助你拥有更多的积极经验（"对方总能及时回应我的需求"），让你得以学会忍受消极经验（"对方有时不能回应我的需求"），以及随之而来的痛苦感受，继而逐渐获得对他人"完整"的认知和对消极感受更为健康的应对机制。另一方面，TA在被你"激怒""伤害"时候的表现也有助于你去学习和获得主动控制的方法。

# References

Clarkin, J.F., Yeomans, F.E., &Kernberg, O.F., (2006). Psychotherapy for Borderline Personality: Focus on Object Relations. American Psychiatric Publishing, Inc.

Eisenberg N. (2012). Temperamental Effortful Control (Self-Regulation), Encyclopedia on Early Childhood Development.

Fei, G., et al., (2011). Non-shared environment and monozygotic adolescent twin differences in effortful control. Social Behavior and Personality. 39(3), 299-308.

Klein, M. (1935). A contribution to the psychogenesis of manic-depressive states. In: The Writings of Melanine Klein,vol. 1, p.262-289. London, Hogarth Press.

Klein, M. (1957). Envy and Gratitude, a Study of Unconscious Source. New York, Basic Books.

Rothbart, M. K., & Bates, J. (2006).Temperament. In N. Eisenberg, W. Damon, & L. M. Richard (Eds.), Handbook of child psychology: Vol. 3, Social, emotional, and personality development (6thed.) (pp. 99-166). Hoboken, NJ US; John Wiley & Sons Inc.

## "TA曾经很爱我，为什么在一起之后百般挑剔"
# 你可能爱上了一个最爱自己的人

如果：

你觉得自己在关系里如履薄冰，害怕自己一旦哪里做得不够好，TA就会苛责你或者好多天不联系你。

你发现你已经开始把TA的需求凌驾于你的需求之上。任何时候，你都会优先选择满足对方、迁就对方，只为了让对方满意。

然而，无论你多么为TA着想，TA也并不觉得感激。TA对你的一切付出都看作理所应当。

TA永远不记得你做对了什么，只会记得你做错的一切。你觉得TA像个完美主义者，因为不管你怎么做都无法达到TA的要求。

你们的关系里出现了第三者，你发现自己需要和对方"争夺"另一半的注意力，而你的另一半还会不断拿你和对方做比较。

像TA挑剔你一样，你开始挑剔自己，觉得自己一无是处，这段关系甚至让你感到前所未有的"虚弱"。

那么，很有可能你亲密关系中的另一半是一个自恋者（narcissist）（Arabi，2017）。

自恋者，即那些具有"自恋型人格特质"的人。我们曾在很多文章中提到，有些人的自恋特质会表现出自负（又被称为膨胀型或浮夸型自恋者，下文所指的自恋者均为此类），而另一些人则会表现出自卑（又被称为沮丧型或脆弱型自恋者）。相比之下，膨胀型往往被人们认为是有魅力的、优秀的，且也更愿意与之发展恋人关系（Jauk，et al.，2016）。

这篇文章就来聊聊这个话题：爱上一个自恋者。

## 爱上自恋者，你们的关系会是什么样的

学者们认为，当关系中的另一半是自恋者时，人们的亲密关系似乎总是陷入这样的模式：追逐—改造—贬低（Moscovci，2011；Grey2013；Greenberg，2017）。

### 1. 追逐"独角兽"（Chasing the unicorn）

在你们确立关系之前，一旦自恋者认定你是TA心目中的"独角兽"（独特而优秀），TA便会竭尽所能地追求你。

TA常常会把对你的称赞挂在嘴边，认为你很完美、独一无二，是TA此生唯一的理想伴侣。甚至当你主动展示脆弱的时候，TA也会将这些都视作你与众不同的一面，倍加珍惜。不仅如此，TA也会表现得非常在意你，频繁地联系你，随时随地响

应你的需求，给予你所需要的关注，即使再忙，TA都会无条件迁就你的时间安排和喜好。

通过以上种种，TA让你相信——（只有）TA是真正懂得欣赏你、真实的你，无论是你好的还是坏的一面；并且，TA对这段感情充满诚意，全身心地投入和在乎你。

### 2. 改造（Construction project）

在你们确立了关系之后，逐渐地，TA开始挑剔你身上所有令TA感到不满的部分，甚至会声称，"你怎么变了那么多，和我刚认识你的时候完全不同了"。TA也会不断"建议"你做出改变。尽管TA说这都是"为你好"，然而实则却很可能是为了让你不断接近TA心目中"完美伴侣"的样子——他们是极度自我中心的。

诚然，在亲密关系的磨合期，伴侣双方都会试图改变对方。不同的是，当了解改变并不是你想要的或是会让你感到痛苦时，自恋者并不会停止建议，相反TA擅长把自己的回应当作筹码，迫使你改变。比如，当发现你不愿意做出某些改变时，TA会表现出"对你丧失兴趣"，并开始减少与你的联系，也时常很久都不回复你的消息。

不仅如此，TA还会对你不接受TA的建议而感到愤怒或失望。对于自恋者而言，拒绝TA的建议就意味着对TA自我价值与自尊感的贬损和攻击。

### 3. 贬低（Devaluation）

随着关系的深入，你们之间并没有因为之前的"磨合"而变得彼此亲密、互相包容，相反，你发现占据大多数时间的已经不是TA对你的"赞美"而是"指责"。这些指责也不再"伪装成"建议，TA对你的挑剔也变得近乎刻薄。在争执时，TA甚至开始言语攻击你，肆无忌惮地伤害你。

不仅如此，你们的关系也开始变得复杂——开始出现"第三者"，可能是一个人也可能是多个人，可能是TA的新欢也可能是前任。TA不断在你面前强调对方有多好，让你感到卑微和"比不上"。

最终，TA可能会突然消失在你的生活中。"幽灵式"被认为是自恋者最常"使用"的分手方式。TA们不告而别，留你在关系中不知所措——"我们是分手了吗？""为什么？是不是我又做错了什么？""我哪里又让TA不满意了？""TA真的爱过我吗？"

Greenberg（2017）还认为，自恋者擅长于追逐，却不知道如何拥有真正的关系。他们的关系很多时候都仅止于追逐的阶段，即一旦关系确立，他们便会忍不住想要迅速结束，以便开始下一场追逐。换言之，当你主动要求分开或是长时间不联系TA时，TA便有可能再次回到对你百般呵护的状态之中（因为你们的关系又恢复到了TA需要追逐的状态）。

## 可是，为什么自恋者总是会陷入这样的感情模式

### 1."理想化"是致命的吸引力

自恋者在追求另一半时，往往会将对方理想化。不过，这种理想化最终是为了回落到他们自己身上的（McWilliams，2011）。他们会下意识地认为，别人是他们的"延伸体"，别人的存在就是为了满足他们的需要，是他们的自恋最好的"供给"。也就是说，自恋者努力追求一个理想化的伴侣，其实是为了证明他们自身是有魅力的。

　　在他们眼中，往往越是优秀的人也就越有吸引力。而咨询师们在对临床经验的总结中也发现，被自恋者"选中"的对象，的确在社会地位、学识等方面更为出众，或在社交圈内更受欢迎（Grey，2013）。因而，这对自恋者而言，"追求并得到"这样理想化的对象，就会是一种对自我的肯定。

　　所以，他们会在追求的过程中毫不吝惜自己对对方的赞美，称对方为自己的命中注定（the one），那个最特别的、不可替代的、完美的伴侣。而"被理想化"，对于那些被追求的人而言，无疑也是很有吸引力的。

　　然而，这种理想化却也可能是"致命的"。一旦双方确立关系，即自恋者已经得到了自己想要的"对自我的肯定"时，这种理想化，便会转化成一种对伴侣的要求和期待。他们无法忍受伴侣是"不完美的"——"一个完美的你，才能配得上这样完美的我"，他们就会希望伴侣不断地改变以满足自己对于完美伴侣的期待。

　　从某种程度上说，把另一半"理想化"是这些自恋者们在情场上总能"求仁得仁"的原因，同时也是他们在确立关系之后，总会百般挑剔另一半的原因。

### 2.他们极度需要维护自尊感

McWilliams（2011）指出，自恋型人格的人需要不断从外部获得认可，来维持内心脆弱的自尊感。而他们获得他人认可、维护自尊感的方式，主要是自我提升（self-promotion）与自我保护（self-protection）（Wurst，et al.，2017）。

具体而言，他们一方面会不断向他人展示能力与成就（自我提升），维护自己在他人心目中的形象，并获得他人的崇拜或尊敬（admiration）；另一方面，他们也会压制或贬损（rivalry）其他人来衬托或彰显自己的优秀（自我保护）（Wurst，et al.，2017）。

这就意味着，当他们在追求另一半时，他们不仅会显得自信、迷人（自我提升的结果），还善于使自己在对方的其他追求者中脱颖而出（自我保护的结果）。然而，当双方确立关系之后，对方不再是TA需要争取和追求的对象，此时，出于维护自尊感与自我保护的需要，他们便也会去贬损那个他们曾经竭尽所能去追求的对象。

### 3.他们缺乏客体恒常性（Object Constancy）

心理学家Margaret Mahler认为，发展出"客体恒常性"表现为一个人能够认识到或相信自己生命中的一些人或事物是持续会出现的、值得信赖的、可靠的；并且当受到这些人或事物的伤害时，尽管自己会感到愤怒、受伤或失望，但仍然可以对他们抱有一种积极的情感联结（positive emotional bond）（as cited in, Dodgson, 2017)。

她认为，这种客体恒常性的形成与母亲在婴儿时期能否及时回应孩子的需求有关。而自恋者就被认为是缺乏客体恒常性的（Dodgson, 2017）。

他们无法理解"无论你是否按照TA的想法做事情，你都可能是爱TA的/是完美的"。在自恋者眼中，当你让TA满意时，TA就觉得你是完美的，而当你让TA不满时，TA就会认为你不爱TA/是不够好的。因此，只要你令TA感到不满，TA就会试图苛责你或是改变你。

另外，也由于缺乏客体恒常性，在与另一半出现分歧或争吵而感到不满、失望或愤怒时，他们往往会如同短暂性失忆一般，"忘记"彼此仍然是爱着对方的，导致他们最终不顾分寸地伤害到对方。

### 4. 他们缺乏共情的能力

Christopher Lasch（1991）在《自恋主义文化》中说，对自恋者而言，世界是一面镜子，而他们永远只能从镜中看到自己，沉迷在自己的世界里。

他们无法理解自己的建议（苛刻要求）怎么会让另一半感到痛苦，这在他们眼中明明是为了对方的利益，因此，他们常常在不经意间伤害到对方并且对此毫不知情；又或者他们能在认知上明白自己的要求会让对方感到不适，但他们并无法感同身受对方情绪上的痛苦，于是他们对自己造成的伤害毫不在意，也无所顾忌（因为感觉不到究竟有多痛）。

沮丧型与膨胀型自恋的人更容易相互吸引。我们曾提到过，在自恋者中，自卑与自负其实是互为表里的，沮丧型自恋的人将自负的部分隐藏，而膨胀型自恋的人则是将自卑的部分压抑。而他们都试图将这些被自己压抑、隐藏的部分投射到他人身上，此时，另一半作为对方投射性认同接受的"容器"，就需要能够表达他们不敢表达的部分（McWilliams，2011）。

　　因此，沮丧型自恋的人，就会希望自己的另一半是"自信"的、有魅力的（作为他们被压抑的"自负"的表达），膨胀型自恋的人也会被一些沮丧型自恋者吸引（作为被隐藏的"自卑"的表达）。尽管膨胀型自恋的人仍然会贬低或苛责对方，但这使得他们对于自己体内自卑部分的嫌恶得以抒发和表达。

　　可以说，自恋者自身的一些特质，使得他们的关系总是陷入这样的模式之中，并且常常无法持久。那么，如果伴侣是自恋者，该怎么办呢？

　　的确，爱上一个自恋者无疑是一件充满"挑战"的事情，因为无论你多么爱TA（或者TA多么爱你），TA人格中自恋的部分都会让你们的关系变得十分困难（Prior，2017），这有时候也会令你忍不住怀疑自己的爱会不会是一场独角戏。为此，你需要：

　　了解TA（自恋的伴侣）看似莫名其妙地、不分轻重地伤害你的行为，很多时候与TA的自恋——TA内心对于维护自尊感的渴望、缺乏客体恒常性或是缺乏共情能力有关。不要过分在意TA在伤害、指责、贬低你时，所使用的言辞及其内涵。

时常和自己进行一些积极的对话，告诉自己"我是值得被爱的""我很好"，不要因为TA对你的伤害就自我怀疑或自我否定。

学会自我坚定。你自己需要明确也需要让TA知道：什么样的行为会有怎样的后果；什么样的伤害是绝不容许的；以及，什么时候是你该离开的时候。我们无法改变他们，但你可以在必要的时候选择离开。这并不是因为这些人是自恋者，而是这个世界上，你想要凭自己的力量改变任何一个其他人都是十分困难的。

与你身边值得信赖的人分享，讨论你在这段关系中的感受。他人不仅可以给你一些包括情感在内的支持，还可以帮助判断你是否还有必要为了留在这段关系中，为TA找借口，委曲求全，自我欺骗。

最后，你需要学会给自己一些独处的时间和空间，去满足你自己的需求，而不是成天为了TA的需求奔忙。

## References

Arabi, S. (2017). 11 Signs You're the Victim of Narcissistic Abuse. Psych Central.

Dodgson, L. (2017). Narcissists aren't capable of something called'object constancy' — and it helps explain why they are so cruel to the people they date. Business Insider.

Greenberg, E. (2017). Why do narcissists abuse those they love? Psychology Today.

Grey, S. (2013). The three phase of an arcissistic relationship cycle: Over-evaluation, devaluation, and discard.Esteemology.

Jauk, E., Neubauer, A. C., Mairunteregger,T.,Pemp, S., Sieber, K. P., & Rauthmann, J. F. (2016). How Alluring Are Dark Personalities? The Dark Triad and Attractiveness in Speed Dating.European Journal of Personality.

McWilliams, N. (2011). Psychoanalytic diagnosis: Understanding personality structurein the clinical process. Guilford Press.

Moscovici, C. (2011). Dangerous Liaisons:How to recognize and escape from psychopathic seduction. Hamilton Books.

Prior, E. (2017). How to effectively deal with a narcissistic partner. Professional Counseling.

Wurst, S.N. , et al. (2016). Narcissism and romantic relationships: The differential impact of narcissistic admiration andrivalry. Journal of Personality and Social Psychology, 1-24.

你不是喜欢痛苦，你只是习惯了痛苦

## 如何停止喜欢不喜欢你的人

很多人会有这样的困惑：

"不知道为什么，我总是喜欢上那些并不喜欢我的人，因此我常常觉得很痛苦。而我现在虽然在恋爱，可很多时候也能感觉到对方并不是真的喜欢我……我想不明白这是为什么？我是不是停止不了这种循环了？"

这个问题让我想到电影《被嫌弃的松子的一生》中的主人公松子。松子从少女时期开始，就始终怀抱着对美好爱情的幻想和憧憬，毫无保留地去爱别人。可是，松子也总是爱上那些不够爱她，或是没有能力给她一段健康亲密关系的人。因此，直到她短暂的一生走到终点，也没能得偿所愿。

如果你也有相似的烦恼和困惑，别担心，这并非什么"命运的诅咒"，也不是罕见的"疑难杂症"。这背后有具体的原因，也有好的解决方法。

## TA是不是真的喜欢你其实没那么容易辨别

很多时候，识别一个人是不是真的喜欢自己，其实并非易事。很多时候，人们总是跟不够喜欢自己的人在一起，是因为他们在很长时间中没有意识到，对方其实没那么喜欢自己。

这是因为，我们对爱的理解其实是有很多误区的。而正是由于这些关于爱的误解，使我们常常把一些别的东西错当成了对方爱自己的表现。

### 1.语言好坏都是一时的，行动才是你需要关注的

真的喜欢你的人会在行动中把你的利益看得很重，甚至为了你妥协自己的需要，牺牲自己的利益。很多人在关系中会把言语看得太重。我们记得对方一句诺言或是一句恶语，通过这些言语判断对方对自己的情感。因为一句诺言快乐，因为一句恶语痛苦。但其实语言永远是瞬间的，它是情绪性的，它什么都不能担保也什么都无法说明。

只有行动能成为你判断一段关系的依据。忘记TA说过的一切。TA做了什么？在某个情境中，TA是如何选择的？TA是选择了优先照顾自己的需要，还是优先照顾你的需要？在你们关系的大部分情境中，TA的选择是什么样的？

如果行动中已经能够看出明显一致的趋势，那就是你该信任的至少能代表一段较长时间的结论。

### 2.别把其实不对的行为误解为爱的表现

印象中大概是从中学时期开始，"霸道总裁"类的小说和

电视剧突然流行了起来。除了标配的高、富和帅以外，他们的另一大特色就是对另一半有极强的占有欲、控制欲和嫉妒心。他们会打着像是"因为我爱你""你是我的人"这样的名号，肆意入侵对方的边界，约束对方的行为。

对关系中错误行为的浪漫化，加深了我们对爱的误解。说着爱你，却限制你和朋友之间的正常来往；说着爱你，却莫名不准你做自己喜欢做的事；说着爱你，却常常让你感觉如履薄冰，似乎连基本的自由都受到了威胁。事实上，过强的占有欲和控制欲通常都并非出于对伴侣的爱，而更像是一种自我满足，也是一种过度自恋的表现。

很多人会觉得，对方那样的地为我吃醋，难道不是因为太在乎我、太爱我了吗？很可惜，答案是未必。当所谓的吃醋演变成了对你生活的过度干涉，甚至完全不顾你的个人意愿时，就不再是喜欢了。因为TA不惜为了自己的心理感受，伤害你的生活和感受。没有尊重的关系，只是单方面满足自己的自私。

### 3. 你需要把激烈的情绪和喜欢区分开来

还有一种情况也常常被误当作爱的表现，那就是一些激烈情绪的流露。比如说，对方可能会为了你痛哭流涕，为了你歇斯底里，为了你做一些看似很疯狂的事情，甚至不惜伤害自己。但这些都不能成为TA是真的喜欢你的证明。

电影《两小无猜》中的朱利安和苏菲，这两个人的痴缠纠葛持续了二十年，他们的情感激烈而又炽热，可以为了对方做任何事。但这并不代表他们懂得什么是爱。他们那种激烈的、失控的情绪灼伤了他人、对方和自己，这使得两人最终也没能走向一个好的结局。

真正的喜欢和爱，是去尊重对方的需要和感受，是去考虑什么是对对方好的，去了解什么是对方想要的，尊重对方的意愿和自主的选择。把自己强烈的情绪宣泄给对方，仍然是自己的一种需要而已。

每个人都会自私，但因为喜欢，我们会努力寻求一种共赢的方式，而喜欢的程度越多，我们会在越多的时候，选择把对方的利益放在自己的利益之前。所有的关系中，都一定存在需要妥协的时刻。那些心甘情愿妥协的时刻，就是你们双方确认喜欢存在的时刻。

## 为什么你总是喜欢上不喜欢自己的人

一个首要的原因，是很多人把自己痛苦的时刻，错误理解为"这说明我真的很爱TA"。所以，在喜欢上不喜欢自己的人时，他们频频感受到自己被对方刺痛，而他们不断把这解释为"自己真的在乎对方""即便这样我仍被对方吸引，TA一定是特别的那个人"。

精神分析大师Charles Brenner 曾经指出，我们心灵运作最基本的机制就是"趋乐避痛"。但在这些人身上却不是如此。这就是"认知"对我们的心灵施加的欺骗。影视剧、言情小说，告诉我们虐恋才是爱得深。我们的头脑在痛苦和深爱中划上了错误的关联。

然而，痛苦固然是爱的一部分，但不要忘了，快乐也是的。你并不喜欢那些给你带来很多痛苦的人，你的本能原本会这样告诉你。你只需要反复告诉自己，你因为一个人感到快乐，才更能说明你喜欢那个人。

除此之外，总是喜欢不喜欢自己的人，或是甘愿待在这样一个人身边，有一个主要的原因还是低自尊。低自尊者总是觉得自己不够好，相信自己配不上美好的事物和人。

因此，当这群人面对一个不喜欢自己的人时，他们才会感到真实：这就是世界该有的样子，TA看到的是真实的那个"不够好"的我。而那些很喜欢他们的人，让他们感到不适，他们在这些人面前找不到真真切切的自我感。我们会首先追求真实的存在，然后才追求幸福的存在。当我们认为"不被喜欢"才是应有的真实，我们永远也走不进一种快乐的人生。

另外，还有一种常见的情况，就是只喜欢（至少在一开始）不喜欢自己的人，并且沉迷于努力让这样的人喜欢上自己。而在对方终于喜欢了自己之后，就又没有了兴趣。

这看似和上面那种愿意妥协的情况十分不同，但其实本质上也与低自尊有关。这类人因为无法从心底认可自我的价值，所以不断通过"让不喜欢自己的人喜欢上自己"这件事来证明自己是有魅力、有价值的，是值得被爱的。而对方喜欢上自己以后，一切又变得不真了（而令自己厌恶了）起来。潜意识在说，"这不是我应得的"。同时，他们也不再能从这种方式中得到提升自尊的幻觉了。

除了自尊水平，一次又一次地喜欢上不喜欢自己的人，还有可能是陷入了一种创伤的强迫性重复。简而言之，就是那些曾在爱中受过伤害的人，因为潜意识里想要改变当初的结局，所以一遍又一遍地将自己置身于一种"类似的创伤极有可能重新发生"的处境中，希望改变事件的结局。

然而，后来的临床经验中，学者们发现，尽管弗洛伊德认为，人们重复的目的是重获掌控。但现实中，人们几乎从来无法如愿。强迫性重复导致了更多受难，有时是受害者自己受难，有时是TA身边人受难。

如果想要停止喜欢不喜欢自己的人，给你一些小建议：

你要做的第一件事，就是去认真觉察自己在喜欢那个不喜欢自己的人时的感受。

你可以好好问问自己，喜欢TA这件事对你而言，究竟是不是痛苦大大盖过了快乐的时刻？如果一时半会不能得出一个确切的答案，你可以给自己一段时间，用记日记或是实时记录（比如"仅自己可见的朋友圈"）的形式，将你和TA在一起或是想到TA时的感受和想法记下来。

除此之外，你还可以问自己亲近的朋友，他们是否觉得你在这段时间里的状态是好的、开心的？有的时候，我们身边的旁观者会比自己看得更加清楚、客观，而一个人是开心还是难过，在了解TA的人眼里也是显而易见的。

这样做还有一个好处是，可以防止你在对方偶尔貌似对你不错的时刻，就又忘记了大部分时候的自己是如何煎熬了——因为人总是好了伤疤忘了疼的，尤其是在面对自己喜欢的人时。

同时，你还需要认识到健康的亲密关系应该是什么样子的。双方平等，互相尊重，肯定对方的价值，重视对方的意愿，这些都是建立一段好的亲密关系的基础。在这样的关系里，两个人就好似两棵依偎着彼此的树，即使亲密得将枝叶都缠绕在一起，也始终是相互独立的两棵树。它们不会让身边的树按照自己想象中的模样生长，它们爱着对方本来的样子。

也就像弗洛姆在《爱的艺术》里所说的：爱是人身上的一种积极力量。这种力量可以冲破人与人之间的樊篱并使人与人结合。爱可以使人克服孤寂和疏离感，但同时又能使人保持个性，保持自身的完整性。在爱中会出现这样的悖论形态：两个生命合为一体，又仍然保留着个人的尊严和个性。

最后一点，也是我始终相信的一点是，爱自己是被爱的最重要前提。当你的伴侣对你不够好、不够重视你时，你要能够感到愤怒，你要能够发自内心地觉得自己值得拥有更好的，你要能够有能力为自己声张。你会发自内心地觉得，一个不喜欢你的人，而又从你对TA的喜欢中获益了的人，不值得你的付出。因为你就像我们每个人类一样，需要双向的、相对对等的情感，你需要被珍视。

不要习惯任何会让你感到痛苦的东西，无论是一个人，还是一种关系。相信我，你不是喜欢痛苦，你只是习惯了痛苦。

如果你也是一个看不到自己可爱之处的人，不如试试临床心理学家Melanie Fennell的小练习，试着回答下面这些问题：

你有什么积极的品质？不用完美地拥有它。没人能做到百分百地诚实不撒谎。如果你有，就写下它。

你有过什么成就，不论它们多么微小？

你有什么天分或才智，不论它们多么微小？

其他人喜欢或者欣赏你哪些方面？想一想一般人们会夸你什么。

你有哪些你所欣赏的人的品质？有时候发现他人身上的优点会更容易，我们可以用他们和自己比照。

你没有哪些缺点？既然有些人更容易想到负面品质，不如先想想，自己是不是残忍、冷血等等，如果你的回答是"不"，那么忘掉这些，将你想到的其他缺点写下来。

一个关心你的人会怎么评价你？设想一个你所知道的尊重、支持你的人会怎么形容你。如果你有很亲近的朋友，并且你很信任他们，那么可以让他们帮你一起列出一个他们喜爱你的清单。


在对自己的美好之处有一个更全面的认识之后，也希望你能渐渐明白，如果你还在喜欢一个不喜欢你的人，没有关系，那并不是你的错。但请你至少为自己保持一种开放性，不要关闭遇见其他人的机会。也许你会遇到一个人，让你知道真正被喜欢是一种什么样的感受，从此你就能够拒绝那些不够好的恋人。

# References

Brenner, C. (1982). The mind in conflict. International Universities Press Inc.

Fennell, M. (2016). Overcoming low self-esteem: A self-help guide using cognitive behavioral techniques. Hachette UK.

Fromm, E. (2000). The art of loving: The centennial edition. A&C Black.

一段感情有可能彻底改变我们吗？是的

# 依恋损伤：亲密关系中的心理创伤

在一段亲密关系中，你是否也常常：

对于另一半所说的话，你总是将信将疑，或者即便你试图说服自己相信，但还是会忍不住怀疑。

你对亲密关系中的细节非常敏感，你总是忍不住去反复思考对方行为中可能伤害你的蛛丝马迹或是背叛的证据，你甚至为此常常失眠。

对方常常抱怨，觉得无论如何都得不到你完全的信任。

你常常感到挥之不去的担心，担心对方会抛弃你，背叛你或者做伤害你的事。

你常常会不由自主地想起一些不开心的往事，它们可能发生在这一段关系或者之前的关系里。它们就像是解不开的心结，反复影响着你的亲密关系。

当对一段关系感到诸多不满的时候，你也没有勇气放手。对于你来说，重新开始一段关系几乎意味着更大的可能会受伤。

如果以上这些描述，都是你熟悉的日常，那么很有可能，你在当下的这段关系里或者在曾经的某段关系中，有过一些未被修复的伤痛，而你正不知不觉地持续受到这些伤痛的侵扰。

过去的终会过去吗？我们该如何从过去感情的伤痛中走出来？这篇文章可以给你一些答案。

## 依恋损伤：亲密关系中的创伤

Johnson等人（2001）在婚姻咨询的临床研究中，首次提出了"依恋损伤"（attachment injury）的概念。学者们认为，在亲密关系中，当一方破坏、违背或达不到关系中的"预期"时，就会给另一方造成情感或心理上的创伤，此时"依恋损伤"就出现了（Johnson，et al.，2001；Steffens & Means，2009）。

依恋理论的研究者们认为，人们儿时与照顾者的关系决定了其依恋类型，影响了成年之后在亲密关系中的表现。安全型的人能够在关系中信任他人，容易与人亲近；非安全型的人对他人无法信任，总是担心被抛弃；又或者自我孤立，拒绝与人亲近。

不过，一个人的依恋类型并不是一成不变的，Johnson等人（2001）认为，一个人的依恋类型会影响TA成年后的亲密关系，同时，成年后的亲密关系也会反过来影响TA的依恋类型。

这也是为什么有时候我们发现，一个人会在一段感情中受伤后，整个人性情大变，原本是个在感情中很有安全感的人，却变得无法信任另一半，成天疑神疑鬼。

## 亲密关系中的 "预期"

前文中已经提到，依恋损伤的发生，与人们在关系中的 "预期" 有关。这里的预期，指的是对于关系本身以及双方在关系中言行的一些期待，主要包含两个层次：

### 1. 社会中对于亲密关系的基本期待

在社会上，大多数人对于亲密关系都抱有这样的预期：这是一段亲密的、彼此存在感情交互（reciprocal）的关系，双方相互付出并获得 "亲近感" "舒适感" 及 "安全感"（Johnson, et al., 2001）。彼此之间的平等和相互尊重，可以说是大众对于亲密关系最基本的期待了。

### 2. 双方在关系中达成的 "共识"

关系中的另一层预期则是因人而异的。有时，两个人其实对关系抱有不同的预期，这与两个人之间不够充分的 "知情同意" 有关，而这就给关系中依恋损伤的发生埋下了一些伏笔。

比如，关系中的A认为伴侣就应该能够把工作之外的时间都花在彼此身上，然而B却并不知晓这样的预期。于是，当B花费许多时间和其他朋友在一起时，A就很容易有一种 "TA不够在乎我" 的受伤感。此时，B对A关于关系的预期并不 "知情"。

又比如，关系中的B觉得两人只是以一时愉快为目的，并不想朝着更深承诺的方向发展。但通常，大多数人默认关系会随着时间加深。于是，当A投入更深的承诺后，发现B完全没有回应甚至是拒绝的，A便会感到不被尊重甚而是被欺骗。此时，B没有把自己的预期告诉A，A在这段关系中对B的预期并不知情，也没有同意。

不过，每个人对亲密关系的预期和承受力总体还是不同的，因而，相同事件发生在不同情侣之间，并不一定都会带来依恋损伤。

依恋损伤给人带来的影响与伤害，并不像身体创伤一样会有一些"肉眼可见"的伤口。于是，那些未解的心结，在不知不觉中持续地影响着人们的亲密关系，甚至在原有的关系结束之后，还持续影响着之后的关系。

不过，尽管依恋损伤不易被察觉，但人们还是可以通过一些主观的感受，来识别自己是否遭受到了依恋损伤。

## 依恋损伤发生时，你可能会有哪些感受

### 第一种：被欺骗

比如，关系中，对方从未像当初承诺的，或者社会主流默认的期待那样关心你、在乎你，TA总是不能在你需要的时候给予你支持；又或者在做一些关于你们两人的重大决定时，对方不够尊重你的意见，你很容易会有一种深深的"被欺骗"的感觉。

### 第二种：被背叛

比如，当你们彼此承诺会互相支持、不离不弃，尽管对方没有出轨，但TA先主动提出了分手（"不离不弃的期待"

被破坏），你也会有被背叛的感觉。就像英文中，"Be（彻底地），trayal（交付）"，背叛指的是：当那些我们以为可以彻底交付的、值得信赖的人，做出了破坏了双方的承诺的事情时，我们会有的感受。

第三种：被辜负

比如，你总是单方面付出，对方很少给你回应，甚至把你的付出当作理所应当，对方的所作所为都让你感到失望；又比如，你总是在对方需要你的时候第一时间出现在TA身边，但当你需要对方的时候，TA却总是遥不可及或无动于衷。在这些情况中，你就会（隐隐地）有一种被辜负了的感受。

第四种：被否定

比如，觉得自己对对方的信任、为对方所做的妥协与付出都好像错付了。人们还会开始怀疑自己是否有能力找到真正对自己好的人，是否有能力在一段感情里获得幸福，是否有人会愿意善待自己（还是自己终究不配被善待）。而这些对自我的怀疑，都可能给人带来一种被否定的感受。

当这些感受出现时，有些人会清楚地知道它可能给彼此的关系带来的影响，从而努力找到问题的症结所在，正面地去解决问题。也有些人却并不了解这些感受会对自己与双方的关系造成什么影响，因而选择不主动处理这些感受，听之任之，直至创伤给自己带来更大的危害。

## 依恋损伤如何影响人们的亲密关系

当那些令我们感到被欺骗、被背叛、被辜负、被否定的事件在亲密关系中发生时，所带来的不仅仅是这些不愉快的感受，它还会直接威胁我们对外在世界和他人的看法（Johnson，et al.，2001；Beder，2005）。

Beder（2005）认为，每个人心中都有一个关于世界的设想（the assumptive world），这是这个人所相信的真实世界的样子，也是在这个世界上说话做事、与人交往的行动依据。但当这些令人不愉快的事情发生之后，这个人的这些设想就可能被颠覆，而这就不可避免地会威胁到TA的安全感。

比如，一个人原本认为，相爱的双方都会关心对方，在乎对方的感受，不到万不得已的时候，另一半不会做出伤害自己的事。但当TA的另一半反复做出伤害TA的事时，TA就会觉得这个世界与TA所想象的不一样，就连深爱的人都在反复伤害自己，更遑论他人，那这个世界还会是安全的吗？还有什么人是TA可以相信的吗？

不仅如此，这些事件还会威胁我们对自我的认知与看法（Johnson，et al.，2001；Gerlach，2014）。它让人们开始怀疑，自己是否有能力对世界和他人做出准确的判断，甚至开始否定自我的价值，认为可能是由于自己不够好才不被珍惜，是自己不配被人温柔以待。

可以说，很多时候，当在一段新的关系中，即便对方并没有做出任何欺骗，我们仍然对对方持续地不信任，归根结底，其实是我们对自己失去了信任。

最终，这些认知上的改变，不仅使得我们对关系、对对方不再信任，也让我们不再相信自己。于是，我们不知不觉地带着未修复的过去——这些痛苦的感受和扭曲的认知，以应对过去的方式来面对现在情境中的人和事。

我们就这样反复被过去的创伤所捕获，一次又一次成为受伤的人。

## 面对依恋损伤，该怎么办

首先，你需要意识到自己是否正在被上述的这些感受包围。此外，你需要分辨这种感受是否似曾相识，你对于世界与自我的看法是否已经因为过去的一些创伤事件而发生改变。

一些依据能够帮助你判断你的"依恋损伤"是否由来已久（Harvey，1996；Johnson，et al.，2001）：

在回忆过去的时候，你无法对自己的想法与情绪拥有主动权，甚至一些不愉快的经历会不由自主地反复出现在脑海中；

有一些过去的人、事、物，可以轻易挑拨你的神经，使你陷入情绪的旋涡，变得敏感多疑，坐立难安；

你常常感到莫名的愧疚、羞耻、自责，觉得自己配不上现在的伴侣或是觉得自己得不到真爱；

你非常害怕新恋情，也会在新恋情开始的时候感到强烈的

不安与担忧;

对于过去的经历，你在自己现有的人生框架里找不到它的位置或意义，你总是感到困惑、愤懑、仇恨。

如果你觉得以上这几条都是你目前的状态，那么很可能你有一些未被解决的来自过去的依恋损伤。

对于那些来自过去的依恋损伤，我们需要：承认自己的痛苦、难过、悲伤。

很多人在面对过去的伤害时，总试图压抑，逼迫自己遗忘。但Johnson等人（2001）认为，人们可以在"哀恸"与"丧失"（grief and loss）的语境中去看待依恋损伤。因为：

一方面，无论是违背兑现的诺言还是被破坏的约定，当依恋损伤发生时，某种程度上也意味着一种"丧失"，我们失去了一些很重要的东西;

另一方面，在依恋损伤中，你对自我的认知已经受到了现实的挑战和怀疑。当你试图去压抑或逼迫自己遗忘的时候，事实上是进一步否定了自己的情绪，否定了过去在关系中属于自我的部分（自己的付出与成长等）。因此，与其压抑或遗忘，不如让自己为这种失去（正当地）感到哀伤。

在承认这些情绪的同时，你才能从中寻找或了解到让自己感到痛苦、难过、悲伤的事情，才有可能在今后的关系中去提前声明，尽力避免这些事情的再度发生。同时，只有直面创伤，才更有可能找到过去创伤对于你人生的意义，才可能在你人生的框架中找到解释创伤的方式，和它存在的意义。

不仅如此，从依恋损伤的影响机制中我们不难发现，我们还需要在新的关系中去解决它，去重建我们对世界与他人的信任。更重要的是去重建我们对自己的信任，而不是仅仅把它当作是情绪困扰来应对。你可以通过其他支持性关系来帮助你，不要试图把自己与他人隔绝开来，一些健康的关系可以给你信心。

面对依恋损伤，我们要做的是拨开它们，看见最本质最核心的自己，留出时间和勇气去感受痛苦、释放悲伤，给自己始终如一的信任。你很好，只是暂时运气不好。此外，你也要尝试新的约会，给自己机会遇见那个懂得尊重你、珍惜你的伴侣，等到一种深刻的连接终于建立，你会发现过去的一切都显得微不足道。

毕竟，跟幸福相比，痛苦是不值得被记忆的。

## References

Beder, J. (2005). Loss of the assumptive world: How we deal with death and loss. Omega, 50(4), 255-265.

Gerlach, P.K. (2014). Overview of six common psychological wounds. Self-help.

Johnson, S.M., Makinen, J.A., &Millikin, J.W. (2001). Attachment injuries in couple relationships: A new Perspectiveon impasses in couple therapy. Journal of Marital and Family Therapy, 27(2),145-155.

Harvey, M.R. (1996). An ecological view of psychological trauma and trauma recovery. Journal of Traumatic Stress, 9(1),3-23.

Steffens, B. & Means, M. (2010). Your sexually addicted spouse: How partners can cope and heal. New Horizon Press.

出轨后，其实多数人还是选择了不分开

# 如何修复出轨后的关系

出轨不少见，调查发现15%~25%的美国人会在婚姻中出轨。在人们的想象中，出轨后双方会大吵一架，并走向分离的结局。

但与人们想象的不同，现实中，多数人还是会选择留在关系里。Schneider等人（1999）的研究显示，出轨后会有60%的伴侣威胁要同出轨者离婚，但其中只有不到25%的人最终终止了关系。也只有10%的出轨者会选择离开原本的伴侣，并和情人在一起。为什么？

我们来谈一谈，出轨究竟是一个什么样的事件？出轨后的关系又如何修复？

## 出轨会如何影响关系中的每个人

关系中一方的出轨，影响的不仅仅是出轨者，它会对原本家庭中的每一个角色产生影响，包括孩子。

**1. 出轨对被出轨者的影响**

（1）在出轨暴露之前，出轨就已经伤害到被出轨者

许多出轨者自我安慰说："我不告诉伴侣自己出轨，伴侣就不会难过，不会受到伤害。"但心理学家马克·怀特指出：出轨在暴露之前已拥有巨大的负面影响，因为被出轨者缺失"伴侣对我不忠诚"的重要信息，他们在错信伴侣忠诚的基础上做出各项人生选择。由于不清楚自己已经被伴侣背叛，被出轨者可能会在不知情中对出轨者付出与让步。而如果他们知道，可能原本会做出不同的选择（White，2017）。

出轨者在被出轨者不知情同意的情况下，影响了TA的人生选择。这是很大的伤害。

（2）发现伴侣出轨后，被出轨者会经历一系列负面影响

伴侣的出轨可能会严重伤害被出轨者的安全感。被出轨者原本以为自己的关系是安全的，伴侣不会背叛自己。没想到关系并不如所想的那样安全。被背叛的打击让被出轨者用一种新的、多疑的目光打量世界：如果我所认为安全的关系已不安全，会不会这个世界也不像我过去以为的那么安全？被出轨者会出现一系列不安的反应：怀疑身边人可能伤害自己、四处寻找会伤害到自己的迹象等等（Spring，2013）。

此外，被出轨者会出现沉浸式思考，无法自控地反复想和出轨有关的事。这是一种遇到挫折后常见的心理机制，通过不断回想和反思，试图从中学习，保证以后不再犯同样的错误。被出轨者会反复检索当初伴侣出轨的种种迹象，后悔自己没有早点发

现；或是反复思考伴侣为什么会出轨。但这个过程会带来巨大的心理痛苦，让人陷入抑郁和折磨。

**2. 出轨也会对出轨者造成负面影响**

但并非只有被出轨者会被出轨事件伤害，出轨者本身也会遭受负面影响。

出轨会引发出轨者的认知失调（cognitive dissonance）。这是指，人们对事物的认知与事实发生冲突，从而引发心理上的不适。出轨事件会让出轨者对原本的自我认知产生怀疑。例如，出轨者原本认为自己是个"好人"，然而事实是他们背叛了自己的伴侣。事实与自我认知的不一致让他们感到不安："我不再是个好人了，那我是谁？我是恶人吗？"许多出轨者会因此备受折磨。

此外，隐瞒出轨事件本身会增加出轨者的心理压力。隐藏住出轨的蛛丝马迹，过"双重生活"并不容易。一方面出轨者得计划好如何出轨，另一方面又要时不时担心自己的谎言被人拆穿。害怕暴露带来的焦虑感非常可怕，以至于许多出轨者在出轨被揭穿后甚至感到松了口气，为了自己再也不必说谎和隐瞒（Spring，2013）。

**3. 出轨还会影响到孩子**

出轨损害的不只是伴侣双方，还会对孩子产生不良影响。孩子往往会卷入家长之间的斗争，成为争夺的对象。被出轨者会向孩子控诉伴侣的出轨行为，希望孩子加入自己，而出轨者可能会央求孩子帮助自己弥补关系。许多出轨家庭的孩子感到自己夹在中间，不知道该不该站队、该站在哪一边。同时他们又非常焦虑，认为自己应当为家庭稳定负责，需要去做家长关系的修补者，却没有意识到出轨只是家长之间的问题，不该由孩子来负责（Duncombe & Marsden，2004）。

出轨事件也会影响到孩子对亲密关系的看法。Ana Nogales博士曾调查了800名经历过家长出轨的孩子，得到的数据表明：83%的孩子经历过家长的出轨后，认为人总会撒谎；70.5%的孩子认为他们对他人的信任受到影响；80.2%的孩子认为家长的出轨改变了他们对爱与亲密关系的看法，他们和被出轨的家长一样，同样感觉自己被出轨者背叛（Nogales，2009）。

出轨有着种种不良影响，但很遗憾，它却是一个日常生活中人们有可能遭遇的事件。假如你不幸遭遇了它，应该怎么办呢？首先，你需要知道，对方是否真的出轨了。

**出轨前与出轨中，出轨者会有哪些表现**

Anita Vangelisti教授（2004）研究发现，出轨事件并非无迹可寻。在出轨前与出轨过程中，许多出轨者会表现出端倪。但需要注意的是，我们列举这些可能的征兆并非是鼓励大家对号入座，或是过度解读伴侣的一言一行，而是在伴侣真的表现出以上征兆时，我们应该如何处理。

1. 出轨前，出轨者会疏远自己的伴侣（relational distancing）

如果出轨者有了心仪的出轨对象，准备出轨，他们会开始疏远自己的伴侣。越是看重出轨对象，对伴侣就越疏远。关系疏远很容易体现在沟通上。一个准备出轨的人为了疏远伴侣，可能会减少与伴侣沟通的时间（比如总是夜晚加班）、减少对伴侣的自我暴露（比如不再谈论自己的感受），或是让自己离伴侣远远的（比如总是出差）。有些准备出轨者甚至会迫使伴侣疏远自己，他们有时会故意说出伤人的话或表现得很粗鲁来伤害伴侣，而痛苦的伴侣为了避免受伤，便遂了准备出轨者的心愿，自发地疏远了准备出轨的人。

疏远也不只体现在言语沟通上，有时也体现在非语言沟通中，像是减少肢体碰触、减少眼神接触，或者两人总是陷入尴尬的、不适的沉默等等。这些迹象如果只是单独、偶尔地发生，并不能说明什么；但如果它们一齐出现，就需要警惕亲密关系中出现了问题。

**2. 出轨时，出轨者会努力保守出轨的秘密**

出轨者开始出轨后，会倾向于保守秘密。越是在意与伴侣的关系、担心被揭露后的负面后果，越是会守住秘密；相反，如果对和伴侣的关系并不在意，越是容易暴露出轨。有些出轨者想用出轨来终结与伴侣的关系，这种情况下，出轨者甚至会主动让伴侣发现自己出轨。

当出轨者试着保守秘密时，有部分出轨者会继续用疏远的方式，来减少和伴侣的接触，防止伴侣从自己的言行中察觉出轨；而有些出轨者为了保密，反而出现反向补偿行为，比如原本不夸伴侣的出轨者，会开始称赞伴侣；原本性频率一般的出轨者，会刻意增加与伴侣的性接触等等。

一旦对出轨者产生怀疑，被出轨者便面临"质疑困境"（interrogative dilemma）：在被出轨者公开质疑对方出轨之后，如果对方没有出轨，被出轨者可能会被对方指责"不够信任""伤害感情"；但如果对方确实出轨了，被出轨者又要面临发现出轨后的诸多问题（Vangelisti & Gerstenberger，2004）。

贸然开口并不是一个好的选择，但你需要意识到：最终，沟通是不可避免的。不要心存侥幸，认为可以不经过沟通，就将关系中的问题解决。亲密关系中的问题可能恰恰源于过去缺乏沟通，逃避沟通只会加剧两人之间的隔阂，但在正式就出轨沟通之前，你可以做一些准备——

第一，询问自己是无根据的怀疑，还是有行为上的证据引起了你的怀疑。试着在心中列举出对方的具体行为（像是"总是在和一个异性头像聊天"），而不是只在猜想和怀疑（"我认为……""我觉得……"）。

第二，在正式询问对方之前，先问问自己想从沟通中获得什么。你是希望通过这次沟通更了解伴侣吗？你有没有思考过沟通可能的后果与后续应对？如果对方真的出轨了，你该怎么办？根据你想要获得的结果，来决定自己将要提出的问题。

在正式沟通时，要选个合适的时机沟通。如果对方忙着做其他事，肯定无暇与你谈话。在沟通开始时，不必直接质问，可以先就具体行为提问："你为什么总去那家餐厅？"在沟通过程中，切记要态度坦诚。例如，如果对方问你是不是怀疑TA出轨，你可以温和地回答"是"。因为只有真诚才能换来真诚，如果你本身遮遮掩掩，对方也可以因为你的态度而拒绝和你沟通。沟通过程或许并不容易，但不要轻易中断或者放弃沟通。温和而坚定地把对话推进下去，直到你问了所有你想问的问题，确定你实现了沟通的目的为止。

如果对方确实没有出轨，虽然你需要为自己的怀疑道歉，但你通过这次沟通得到一个机会，能消除自己的怀疑，并能以此为契机与伴侣讨论如何增进两人关系，避免再次怀疑。而如果对方承认了出轨，你也不再被蒙在鼓里，有机会解决这个问题。

## 假如出轨发生了，我们该如何修复关系

即使关系中真的发生了出轨，也不意味着一段关系必然会结束。伴侣仍然可以积极地修复关系，甚至提升关系的质量。John Gottman提出了出轨修复的三阶段：赎罪、同调与依恋（Atonement，Attunement， and Attachment）。我们将详细地介绍每个阶段人们可以做些什么（Earnshaw，2017；Spring，2013）。

### 第一阶段：赎罪

- 出轨者需要真诚地表达歉意

出轨者要向被出轨者道歉。道歉不仅仅只是说一句"对不起"。出轨者还要许下承诺保证不会再次出轨，同时自己会做

哪些事情来保证不再犯，并尽量当着伴侣的面与出轨对象断绝往来。

真诚地表达歉意也包括聆听被出轨者的指责。被出轨者需要释放自己被背叛后的愤怒与伤心，才能在接下来更好地沟通。而且出轨者也可以借由聆听伴侣的指责，表明自己愿意承担后果的态度。

• 重塑信任

出轨会伤害到被出轨者的信任感，有些被出轨者会开始怀疑关系的方方面面是否可靠。而一份关系很难在不断的质疑中存续下去，出轨者需要重新赢得伴侣的信任。而信任的重塑不能仅仅靠口头承诺，它需要出轨者做出行为上的改变。

由于被出轨者缺乏安全感，出轨者只是普通地表达爱意是不够的。在重塑信任的阶段，出轨者需要做出比平常更抚慰、更能拉近距离的行为，有些行为甚至要求让渡部分隐私（例如，给伴侣看自己的银行账单和通信记录）。通过掌握了出轨者的信息，被出轨者能更笃定对方没有再次背叛自己，慢慢地重新获得对关系的确信。

临床心理学家Janis Spring列出了具体能增进信任的行为，她建议出轨者制作一个表格，每天列出当天所做相关行为，避免遗漏。这些行为例如：

让伴侣更多地掌握行踪（"如果要出差，给伴侣确切的出差地点与相关的单据""减少过夜出差的次数""在白天给伴侣打电话"等等）；

增加与伴侣相处的时间（"按时回家""与家人一起吃晚饭"等等）；

告知伴侣自己出轨关系的后续（"告诉伴侣你的情人是不是有联络你"等等）；

增加对伴侣的自我暴露（"告诉伴侣你在想什么、你的感受是什么""让伴侣知道你最喜欢TA哪些方面，不喜欢TA哪些方面"等等）

Spring博士也鼓励被出轨者主动列下他们希望出轨者能做的事，被出轨者也能借由这个机会表达对出轨者的不满（"我希望你能多和我说话"），以及教会出轨者：什么是能让伴侣感到安心的行为。

### 第二阶段：同调

这个阶段的核心是沟通双方对关系的期望、恐惧、认识，来加深对彼此的了解。在这个阶段中，双方要谈论这次出轨，讨论出轨里双方的责任，以及如何修复关系。

- 关于是不是要谈论出轨事件的误解

许多伴侣不敢在事后谈论这次出轨，倾向于当作心照不宣的过去。这可能是因为，有些关于"谈论出轨事件"的负面想法阻碍了人们去沟通。

常见的误解之一是："如果我告诉你出轨这件事对我的伤害，我可能会把伴侣推得更远。"特别有些被出轨者不想失去伴侣，会担心自己表达了情绪，对方反而会更进一步地疏远自己。但实际上，只是一味地压抑情绪并不能让情绪消失，它需要释放的渠道，而且如果被出轨者不坦诚地表达自己，出轨者可能会错误估计出轨对关系带来的影响，也不利于关系的修复。

另一个常见误解是："如果我承认我在出轨中的责任，伴侣会用这件事攻击我。"出轨者担心被出轨者会"得寸进尺"，不断地用出轨这件事攻击自己。但是，对被出轨者坦诚自己过去的行为和想法，能证明出轨者愿意与被出轨者交流，也愿意承担起自己在关系中的责任。

而被出轨者则担心："如果我承认之前的关系中我有做得不够的地方，出轨者就会用这点为出轨开脱，我就无法指责对方或者提出我的要求。"真诚地反省和检视过去的不足，是提升关系里重要的一步，认识到关系中自己可以改善的地方，才能更好地弥补与改善。而且，承认自己的责任，也不代表出轨者的出轨就是可取的：两个人原本可以通过沟通解决问题，而不是靠出轨者在关系外发展其他感情来解决问题。

• 如何谈论出轨

被出轨者一般会有许多问题想要问出轨者："你为什么出轨？什么时候开始的？你是怎么出轨的？"但在深入询问出轨之前，被出轨者需要想清楚：自己问出的问题能不能帮助关系恢复？避免问那些会让自己痛苦并且对关系毫无帮助的问题。举个例子，不要问出轨者"我和你的出轨对象，到底你更喜欢哪个"，也许得到的答案会让你伤心，或是你并不信任对方的回答。

而出轨者面对被出轨者的问题，往往也不清楚自己该怎么回答比较好。Spring博士建议出轨者不要隐瞒信息，更不要撒谎（除非你想进一步失去被出轨者的信任）。但是出轨者可以用更有利于关系的方式回答问题，多讨论自己的感受，并避免谈论一些令人不快的细节。举个例子，出轨者不要说"比起你，和出轨对象在一起让我更开心，我们俩做了……"，而是说："我和出轨对象在一起比较兴奋，是因为这件事是偷偷摸摸进行的。或许我们以后可以尝试一些刺激的事。"

**第三阶段：依恋**

在第三阶段中，伴侣双方加深彼此的联结，让关系变得更加亲密。在这个阶段中，伴侣双方可以形成表达爱意的日常惯例。像是经常向对方表达感谢，积极地回应伴侣的沟通，约好固定的时间一起做事，让双方认识到自己都对彼此的生活有参与感。

其实，如果有可能，我们希望在看这篇文章的你们，都永远用不上这些知识和方法。但这世间从不温柔，坏人和坏事都会发生。假如你遇到了，这只是宇宙中的一个概率事件，我们想告诉你：出轨只是人生中的一次经历，它会令人痛苦，但它未必代表关系的结束，更不会代表你人生的结束。积极地面对出轨，并将它作为提升关系与自我提升的助力吧。

# References

Duncombe, J. , & Marsden, D. (2004).Affairs and children. The state of affairs: Explorations in infidelity and commitment, 187-201.

Nogales, A. (2009). Parents who cheat: How children and adults are affected when their parents are unfaithful. Health Communications, Inc..

Schneider, J. P., Irons, R. R., &Corley, M. D. (1999). Disclosure of extramarital sexual activities by sexually exploitative professionals and other persons with addictive or compulsive sexual disorders. Journal of Sex Education and Therapy,24, 277-287.

Spring, J. A. (2013). After the Affair,Updated Second Edition: Healing the Pain and Rebuilding Trust When a Partner Has Been Unfaithful. Harper Collins.

White (2017). Why Adultery Is Harmful Even Before It's Discovered. Psychology Today.

Vangelisti, A. L., & Gerstenberger, M.(2004). Communication and marital infidelity. The state of affairs:Explorations in infidelity and commitment, 59-78.

你还在想前任吗？

# 什么样的复合会成功


"我要不要和前任复合？"

"复合了会有好结局吗？"

"我想和TA再试一次，可是不知道该怎么做……"

如果你也还对那个爱过的人魂牵梦萦，并且不知道该怎样重新开始的话，希望以下关于复合的讨论能够给你一些启发。

## 复合究竟是怎么一回事

同分手一样，复合是一种关系的转变。在进行相关研究时，心理学家们将其限定为"正式分开后正式重新在一起"的关系（Halpern-Meekin，Giordano，& Longmore，2013）。Halpern-Meekin等人认为，分手后转变为"仅有性的关系"（炮友），或是关系中只有一方一厢情愿认定彼此仍在一起的，都不能算作"复合"。分手或许只需要一个人点头，但复合却和当初在一起一样，要求两个人的知情同意。

复合并不是一件罕见的事情。调查结果显示，有45%的人都曾在分手后与前任复合过（Halpern-Meekin, et al., 2013），而有过复合的想法的人，更是超过了70%——大多数的人，都至少在某一个时刻考虑过与前任复合这件事。

从我们收到的相关来信来看，对于复合这件事，人们或许还抱有一些迷思：

**迷思一：破镜是难以重圆的**

事实上，许多研究发现，分手后再在一起的关系是否能够稳定和长久，主要还是取决于两个人在关系中的投入和经营，而并不是两人是否经历过"分手—复合"这个过程。那些经历过"分手—复合"的情侣，对关系的平均满意度也并没有显著低于那些从来没有分手过的情侣（Dailey, Rossetto, Pfiester, & Surra, 2009; Dailey, Middleton, & Green, 2012; Halpern-Meekin, et al., 2013）。

的确，分开造成的伤害和不信任，的确可能会在复合初期对关系造成一定的负面影响。但之后的路要如何走，能不能走下去，还是要看两个人的努力及承诺程度。

**迷思二：复合只会在特定的阶段发生**

在关系中，与分手相关的状态可以大致被划分为三种（DiDonato, 2016）：

状态1：分手后不久就复合；

状态2：分手后，始终保持着某种联系（可能是熟人或普通朋友关系，也可能是炮友关系等等）；

状态3：分手后断绝联系，不相往来，也可能各自有了新伴侣。

而复合，不仅会发生在第一种状态中，也有可能发生在多年之后，而在此期间你们可能默契地互不联系（状态3），也可能一直以情侣以外的身份相处着（状态2）。因此，人们并不会理智地选择在某一个特定的节点复合。而如果两个人真的要再在一起，也不存在着"过了某个阶段，就不可能复合了"这样的说法。

**迷思三：复合只有成功和失败两种结局**

Dailey等人（2012）的研究发现，分手后再在一起的关系，除了会迈向持久的稳定或第二次彻底的决裂以外，还有一些人会进入一种"分手—复合"的死循环（on-off cycling）——在复合了之后又分开，分开了之后再复合，反反复复，分分合合。

研究者们认为，这种死循环主要是人们内心的矛盾感（ambivalence）所导致的。比如，复合后的关系让人们较为满意，但同时自己又有可选择的其他对象；或者是人们对复合后的关系投入了很多，然而彼此之间仍有难以解决的冲突，便容易让他们产生一种"在一起时想分开，分开了又想在一起"的感觉。这也是因为，曾经有过分开的经历，会让"分开"这个选项出现得更加自然而然。

Dailey还发现，有一些人特别容易陷入这种循环。比如，那种总是把"分手"当作解决问题的方式的人——"一言不合就分手"。但这往往只是一种对关系中问题和矛盾的逃避。

## 在什么情况下，人们更容易选择复合

### 1. 分手的方式或理由是模糊的

相比起直截了当，且理由明确的分手，若是分手的方式或理由是含糊、不明确的（如不告而别的"鬼魂式分手"，只说"我们不合适"但并不具体说是哪里不合适），人们很难有一种真实的"完结感"。他们不知道这段关系究竟为什么结束，甚至可能不知道自己到底是不是"被分手"。

这种"未完结"的感觉，会让人对一件事、一个人尤其念念不忘，甚至对其的记忆都会变得更深刻。除此之外，这种伴随着不甘、疑惑和遗憾的未竟之事，会勾起人们追求完整的本能，让人们几乎不可控制地想要去把这件事接着完成。

### 2. 分手的理由不是因为触碰到了deal breaker（一定会让你终止关系的因素）

人们是否会选择和前任复合，还有一个常见的标准，那就是分手是否是因为触碰到了两个人或者是其中一方的底线。

当两个人是因为一些更加琐碎的、情绪性的，以及现实层面的原因分手时，重新走到一起的可能性会更大。这是因为一方面，这些问题更有可能是有明确解决方法的；另一方面，分手本身也提供了反思的契机和动力，当人们自认为找到了导致双方分开的根本原因以及解决方法时，就会希望彼此能够重新开始，解决上一次未能成功解决的问题（Bevan，Cameron，& Dillow，2003；Collins，2016）。

### 3. 当两个人曾经的生活有大量交集时

我们曾在过去的文章中提到过，在一段长期稳定的关系中，双方会逐渐形成一套共同的"交互认知系统"（Harries，Barnier，Sutton，& Keil，2014）。这意味着，你们的记忆是互相补充的，你们对自我的认识也有一部分是来自对方的，你们形成了彼此间默契的思维和相处模式——我们通过这个共同的系统看待世界和自己。

这也是为什么，很多人在分手时会产生一种"失去了一部分的自己"的感觉。

而交互认知系统的提出者还认为，两个人之间生活的交集越多、越丰富，留下的记忆越多，这种"失去一部分自己"的感觉就越是让人难以接受，人们会因此产生强烈的、想要找回这一部分自己的冲动。

举个例子，长期异地恋的情侣分手后，复合的可能性就不如那些朝夕相处的同居情侣高，因为对方在生活中的影子还不足以多到让他们产生巨大的丧失感，也就相对能更快地适应没有对方的生活。相对地，一个人在另一个人的生活中渗透得越广、越深，这一部分的抽离就越会引起不适。

## 绝对"不吃回头草"的，又是哪些人

### 1. 自恋水平较高的人

我们常常说的"自尊心太强"，指的可能就是那些自尊水平超过了平均的、有一些自恋特质的人。当然，他们不一定能够意识到自己是自恋的，甚至可能觉得自己很自卑。在过去关于自恋的文章中我们也曾提到，自恋分为沮丧型自恋和膨胀型自恋（Kohut，2013）。

当自恋者是被分手的一方时，除了失恋都会有的悲伤以外，他们更会体会到强烈的羞耻感和愤怒感，并把这种负面的情感体验转化为对对方的感受——他们很容易（至少在一段时间内）对前任抱有一种憎恶的情感。因为分手对他们来说，是一种绝对的拒绝和否定，是对"我"整个人的拒绝，也是对"我"的全部价值的否定。

"自尊心太强"的自恋者们，内心是十分脆弱的。他们需要借由讨厌对方、怪罪对方，并绝不吃回头草，来获得一种内心的平衡。

### 2. 相信人格是不可变的人

在Schumann和Dweck（2014）的研究中，将人们对于人格的信念分成了两种：相信人格是可变的vs相信人格是固定的。

在实验中，79名参与者先回答一份问卷，问卷上同时有"人格不变"与"人格可变"的陈述，比如"人们无法真的改变自己的人格，有些人就是有好的人格，而有些人则没有"，或者"谁都可以改变他们的人格"，他们被要求回答在多大程度上同意这些陈述，并以此来区分他们是相信"人格不变"还是"人格可变"的人。

那些相信人格是固定不变的人，会倾向于认为一个人是不太可能发生什么大的改变的，不论发生什么。他们相信，人的行为会显示出他们的本质，所以如果他们犯了错并且愿意承认自己的错误，意味着他们会告诉别人自己是个糟糕的人，同时坚信这点是不会发生改变的。当然，他们看待别人也是如此。

因此，不相信人格可塑性的人，在分手后会更倾向于认为两个人在本质上是不适合的，且相信这点是两人无能为力改变的。即便是再在一起，也几乎可以预见会是同样的结局。

### 3. 更理性的人

那些在生活中更加理智、冷静，在做决定和解决问题时也更倾向于理性和逻辑分析的人，通常也有良好的情绪管理能力（Webb，2012）。他们不太会因为一时冲动而"激情分手"，当他们做出分开的决定时，必然是经过了慎重的思考和斟酌，而这也意味着他们不会轻易地改变自己的决定。


## 如果想要和前任复合，该怎么做

在正式做出复合的尝试之前，你需要先提前思考四个问题（Bockaorva，2016）：

### 1. 你们为什么分手

就像上文中提到的，你在决定复合前应该要想清楚，你们到底为什么分开？比如是不是因为触碰到了你的deal breaker，以及对你而言这个问题是不是能够被修补/解决的。

比如，因为距离、和父母沟通不畅导致的分手，与触犯底线的行为（如出轨）以及一些极其"有毒"的行为（如肢体暴力），应该是非常不同的。

尤其是，当你在那段关系中受到了来自对方的严重的情感操控，因而变得怀疑自己；或是觉得自己是没有价值的，那么你可能需要慎重考虑复合这个选项，不论对方表现得多么诚恳。

如果问题是可以被解决的，比如对方不够照顾你的感受，或是你不能体谅对方的压力，那么需要考虑的是，这个问题将如何被解决？你们谁要做出改变？或是都需要改变？

如果问题有解决的可能，但没有人愿意做出让步，或是根本无法解决，那么你们极有可能在复合之后再度因为同样的问题分开，而这对于双方而言无疑是一种二次伤害。

### 2. 你为什么要复合

如果你想回到这段关系仅仅是因为一些外在的原因：比如你的伴侣是你的部分经济来源，会给你提供社会资源上的帮助，等等，都不太可能会让你发自内心地从这段关系中感受到快乐。

同样地，如果你想要复合是因为你在情感上极度依赖你的伴侣，比如没有TA就觉得一天无法度过，或者你只是陷入一种没有伴侣的孤独（而这份孤独并不一定是这个特定的人才能填补），那或许复合对你而言也不会是一个很好的选项。

只有当你想要回去不是因为被纯粹的物质捆绑，也不是因为被情感绑架——不愿面对分手的痛苦，习惯了有人陪伴，想证明自己，想报复对方，等等，而是因为意识到自己依然爱着对方，并且确保你们都有信心和决心为对方提供一段相互的、积极的关系的时候，你们才更有可能找到重温旧梦的那条路。

### 3. 你是否真的愿意为此投入时间和精力

只有当你真正下定决心致力于做出必要的改变，重建有价值的关系时，才应该考虑重新与前任在一起。这意味着，你要发现并讨论你们之前没有走下去的原因，并且通过提升自己在关系中应对矛盾、经营、沟通等技能来改进这段关系。为此，你可能甚至需要寻求一些专业的帮助。

要记得，若是把旧砖块从过去的关系带到新的关系中，你只会建造同一栋房子。复合绝不是一件水到渠成的事，它比建立一段全新的关系更需要努力和坚持。

### 4. 对方和你达成共识了吗

虽然你可能完全有动力去重建你们的关系，并且相信你们能够使它重生，但如果你的前任并没有完全致力于修复你们的关系，那么你们可能依然很难走下去。在投入到复合这件事之前，你们需要真诚地讨论彼此的想法、感受、愿望，TA重建关系的意愿，以及这段关系对TA而言意味着什么。

如果经过认真的思考和判断，你对这四个问题的答案都是肯定的，以下还有一些具体的方法：

（1）分手后先给自己留足够的时间和空间

在这期间，最好是能够断绝与对方的联系。丧失后的不适应与复合的冲动是十分普遍的，就算丢失掉平常会用的东西我们也会感到失落和不习惯，更不用说失去了一个曾和自己那么亲密的人了。但选择复合需要建立在你已经足够冷静，且能够独处、照顾好自己的基础上。

（2）重建联系、吸引力和信任

在认真地思考和准备后，你可以尝试着逐渐恢复联系，邀约见面（注意要循序渐进）。聊天和见面时，你应该让TA发现你的改变。如此一来，一方面TA能够感受到你不一样的吸引力，另一方面TA可能也愿意试着相信改变是可能发生的。

同时，你也可以使用一些特定的技巧帮助重建联系和吸引力，比如不要操之过急，先试着和对方以朋友的方式相处，或通过讲述、回忆共同经历的美好时光来重获对方的好感信任。但切记，你不能幻想仅仅通过一味地怀旧就重新得到对方的心，更不能用过去来绑架现在的TA。

（3）一些需要规避的做法

毫无顾忌地入侵对方的个人边界。比如电话/微信轰炸，强行要与对方见面，甚至在对方常出没的地方蹲点，等等。你要记住，你们已经不再是恋人关系，边界应该要先退回到熟人甚至是陌生人的距离。

试图操控对方。比如哀求，上演苦肉计，或是试图用过去的事情绑架对方。

让对方对自己予取予求。你也要记住，即使你是复合的发起方，也不是只要事事妥协，TA就会回到你身边。这可能仅仅会增加对方的负担，或是对你的轻视和利用。好的关系是相互和平等的，想要重新努力爱对方，也应当从爱自己开始。

# References

Bevan, J. L., Cameron, K.A., Dillow, M.R.(2003). One more try: Compliance-gaining strategies associated with romantic reconciliation attempts. The Southern Communication Journal, 68(2), 121-135.

Bockarova, M. (2016). 4 Questions you need to ask before getting back together. Psychology Today.

Collins, H. (2016). Should you get back together with an ex? These 3 things will help you decide. Verilymag.

Dailey, R.M., Middleton, A.V., & Green,E.W. (2012). Perceived relational stability in on-again/off-again relationships. Journal of Social and Personal Relationships, 29(1), 52-76.

Dailey, R.M., Jin, B., Pfiester, A., & Beck, G. (2011). On-again/off-again dating relationships: What keeps partners coming back. The Journal of Social Psychology, 151(4), 417-440.

DiDonanto, T.E. (2016). The truth about on-again, off-again couples. Psychology Today.

Halpern-Meekin, S., Manning, W.D.,Giordano, P.C., & Longmore, M.A. (2013). Relationship churning in emerging adulthood: On/off relationships and sex with an ex. J Adolesc Res., 28(2),166-188.

Harris, C., Barnier, A., Sutton, J., & Keil, P. (2014). Couples associally distributed cognitive systems: Remembering in everyday social andmaterial contexts Memory Studies, 7 (3), 285-297.

Kohut, H. (2013). The analysis of the self: Asystematic approach to the psychoanalytic treatment of narcissistic personality disorders. University of Chicago Press.

Schumann, K., & Dweck, C. S. (2014).Who accepts responsibility for their transgressions? Personality and Social Psychology Bulletin, Vol. 40(12), 1598–1610.

# Chapter 2

## 情 绪

不被情绪控制，要从捕捉它们开始
## 你识别情绪的能力怎么样

我有个不算太熟悉的校友，有天偶然在小餐馆里碰见，聊了一会儿。我们对话的时间并不是很长，却令我印象深刻。

他只是说起一件小事，事情很简单，两句就说完了。但他紧接着，一气呵成地用一连串长句，向我描述了那一个瞬间里他的各种情绪，以及它们在电光石火间的演变。明明只是一眨眼，在他的叙述中却如此丰富，以至于瞬间仿佛被拉得很长。

他能够如此敏锐地捕捉并细致入微地分辨出，一瞬间的情绪里究竟有多少种，还能用精确而生动的长句把那些情绪描绘出来。当时我想，他很适合做一个作家吧。

等到后来学了心理学，再想起那次的对话，我对他的那种能力有了专业视角的认识：他的情绪粒度（emotional granularity）很高。

而也是在学习之后，我才知道它不仅仅关乎艺术表达。情绪粒度的高低，直接影响着我们管理和应对情绪的能力。那些情绪粒度高的人，更能够分辨并表达自己的情绪，也从而能够更好地掌控和管理自己的情绪，和情绪做朋友。情绪粒度高的人不容易被情绪控制。而提高情绪粒度，就能直接提高人们处理负面情绪的能力。

如何能够通过提高情绪粒度，和情绪和平相处？这就是我们接下来要聊的话题。

## "情绪粒度"：标记出不同情绪的能力

"情绪粒度"是Feldman Barrett于上世纪90年代提出的概念，它指的是一个人区分并识别自己具体感受的能力。当我们在面临突发事件、阅读一本著作，或者身处其他唤起我们情绪的情境时，高/低情绪粒度的人对于自己所经历的情绪，可能会有两种不同的表达方式。

比如，在"9·11"恐怖袭击之后（Kashdan & McKnight，2015），有的人会说："我的第一反应是巨大的悲伤……紧接着的第二反应则是愤怒，因为对于这种悲伤，我们竟然无能为力。"

有些人则会说："我感到一股无法被确切描述的巨大情绪。也许是恐惧，也许是愤怒，也许是困惑。我只是感到非常非常糟糕。太糟糕了。"

前一种人是高情绪粒度的，他们能够用具体的情绪词汇来标记自己所经历的感受。而后一种人则是低情绪粒度的，他们并不准确地知道自己经历了什么，总是用笼统的词汇来表达，比如

"开心/不开心"。

情绪粒度分为两个部分，一是感受，高情绪粒度的人，对情绪的体验更丰富、更细致入微，能更好地感受自己的情绪；二是表述，高情绪粒度的人在拥有某种感受的时候，无论它是新的还是在记忆里的，他们能够用准确的词汇和良好的表达技巧来形容这个情绪。

已经有越来越多的神经科学研究找到各种具体情绪的分界—— 一些研究者认为，我们的每一种情绪，都能够精准地在大脑中拥有对应的位置。Tiffany Watt Smith说，我们甚至可以将情绪理解为一种完全客观的存在，而不是我们所以为的那样模糊和笼统（Dahl，2016）。

## 为什么我们要分辨情绪

那些"感到糟糕"，而不知道自己所经历的情绪究竟是什么的人，更容易陷入一种"被情绪控制"的感觉。

Barrett（2016）的研究发现，这是因为，当情绪发生时，你需要知道自己经历了什么，才能把握好自己可能出现的生理、行为反应，也才能有的放矢地去应对每一种具体的情绪。

神经科学研究证明，我们的大脑不断根据过去的经验，来决定如何对之后受到的刺激做出反应。久而久之，每个人的大脑会形成一套独特的生理预警机制。比如，一个看到蜘蛛就害怕的人，TA的大脑可能会在蜘蛛或者仅仅是这两个字出现时，就会升高血压、释放皮质醇[1]。

但是，情绪粒度的高低，直接影响着这套预警机制的效率。如果你对情绪的感觉只是笼统、含糊的，比如"我真的感觉很糟糕""我的情绪很坏"，那么，每一次感觉"不好"的时候，你都会产生一样的、负面的身心反应，但它只是一种重复的消耗，因为你始终不知道，自己每次具体需要应对的是什么，也不知道如何解决。

"高情绪粒度使得人们的大脑在应对生活的种种挑战时，有了更加精密的工具。"Barrett（2016）在《纽约时报》的撰文中表示。不同的负面情绪，只会激活一部分负面身心反应，损耗更小。

对于高情绪粒度的人来说，他们的应对情绪的能力还会不断变得更系统、更精细。经验会随着人生阅历而增加。久而久之，他们会形成关于如何应对自己每一种情绪的宏大的"工具库"。

而一个低情绪粒度的人，TA不曾真正地认识过不同的负面情绪，也就无法很好地处理它们，不知道如何分门别类地，采取多种不一样的策略去应对、处理。

于是，有些人会粗暴地将这些情绪全部压抑、隔离。而这些未被处理的情绪，反而会在我们注意不到的心底慢慢发酵。也

---

1　皮质醇：一种"应激激素"，在压力状态下，身体需要皮质醇来维持正常生理机能，避免进入"僵死"状态。

有的人会选择粗暴地对抗，以至于让自己处于对所有负面情绪都过分警觉的状态里。这两种情形，都是对负面情绪无法精细应对的结果。于是他们似乎总是被自己的情绪伤害。

一系列实验证明，情绪粒度高会对人产生诸多好处。比如，高情绪粒度的人更不容易在压力下崩溃或采取负面的"自我治疗"（self-medicate）策略，比如酗酒、暴食、自伤，也更不容易采取报复或侵犯他人的行为，有更低的抑郁和焦虑水平，等等（Kashdan & McKnight，2015）。

情绪粒度甚至会对健康有正向的影响，高情绪粒度的人去看医生、用药的频率也更低（Kashdan & McKnight，2015）。

## 如何找到情绪的名字

如我们在前文中提到的那样，情绪粒度分为感受和表述两个部分。要想提升情绪粒度，也要从这两方面入手。

### 1. 当情绪出现时，找到它在坐标轴里的位置

我们可以用两个维度来对自己的情绪进行简单、初步的分析。

一个是"唤起程度"（arousal），这是一种让你"有感觉"或者"没感觉"的情绪，比如"愤怒"就是一种比"悲痛"唤起程度高的情绪；

另一个是"愉悦程度"（pleasure/displeasure），即面对刺激时产生的情绪是愉悦的，还是不愉悦的（Lewis & Barrett，

2010）。

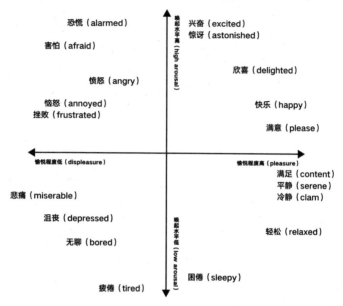

按照这两个维度，我们所拥有的一些基本情绪都能够在坐标轴上找到自己的位置。比如：

兴奋是高唤起、高愉悦的情绪；

愤怒是高唤起、低愉悦的情绪；

平静是低唤起、高愉悦的情绪；

悲痛是低唤起、低愉悦的情绪。

高情绪粒度的人，对于同一个区间里的不同情绪也可以很好地区分。比如，他们能够区分抑郁、疲倦、无聊、悲伤（同为低唤起、低愉悦）。而低情绪粒度的人则容易将它们混为一谈，比如只会使用"不好"来统一形容负面情绪。

主动识别情绪所在的区间，并进一步尝试识别在区间内每种情绪的差异，是一种主动锻炼情绪粒度的方式。你首先需要把你的情绪转化为能被表达的语言。

### 2. 学习更多的情绪概念

耶鲁大学情绪智能中心的研究显示，学校里的儿童仅仅是通过学习更多的情绪概念，也能够改善情绪管理能力，提高行为表现。因此，如果想要提高情绪粒度，学习情绪概念相关的词汇和它们的具体含义也是一个好办法。

有趣的是，我们常常会发现，在世界上不同的语言中都有对于情绪的独特表述，这些情绪的语词存在于不同的语言中。Dahl，M.（2016）曾经整理了在各种语言中不为常人所知的"十种精准描述的情绪词汇"，比如：

甘え（日语，Amae）："依赖一个人的好意"，或者"能够心安理得地接受他人的爱"。尽管现代社会里的我们经常感到自己足够独立，但我们依然会感知到这种情绪，它源于一种对他人的深刻的信任感，无论是对搭档、父母还是你自己。

L'appeldu vide（法语）："虚无的召唤"。它指的是，你在某一刻，突然被无法被解释的思绪控制了大脑。比如，在等待地铁开来的时候，你会突然有"跳下站台"的冲动，但却不知道这种冲动从何而来。它可能会使你产生丧失力气、摇摇欲坠的感觉。

Awumbuk（巴布亚新几内亚拜宁人的语言）："访客离开

之后的落寞"。我们总是厌倦访客将自己家里弄得一团糟，但当他们真的离开，你又可能会觉得家里空荡荡的。对，就是这种感觉。巴布亚新几内亚的拜宁人甚至发明了一种方式来消除这种落寞的情绪，当客人离开后，他们就会装满一碗水在家里过夜，让它吸收令人苦恼的空气，第二天早起再郑重其事地将那碗水泼到树丛里，开始新的一天。

Brabant（英语）："非常想知道你能将别人逼到什么程度"。有一些人总能在戏弄他人当中找到乐趣，并且他们很想看看别人崩溃之前能够被戏弄到什么程度。

Depaysement（法语）："作为异乡人的喜忧参半感"。陌生的环境总是会刺激我们变成另一个自己，当我们外出旅行时，也非常有可能会做出在熟悉的场合不会做的事情。这种情绪是喜忧参半的，可能有欣喜的成分，也可能包含迷失、困惑。

Llinx（法语）："在肆无忌惮的破坏中产生的奇怪快感"。有时，你可能并非出于痛苦、烦躁或发泄，但就是想要制造一些混乱，比如在深夜踢翻一只路边的垃圾桶，或者将桌子上的东西都推下去，并且对此感到莫名的开心。

Kaukokaipuu（芬兰语）："对遥远地域的渴望"，或者"思念从未到过的'故乡'"。有时，你明明没有到过一个地方，却会对那个国家、地域产生莫名其妙的渴望，甚至像是一种思乡之情。

Malu（印度尼西亚土著杜松语）："在比自己地位更高的人面前，突然感到手足无措、语无伦次"。比如，突然偶遇你景仰已久的前辈、喜欢的偶像、公司的CEO时，你涨红了脸，却一句话都说不出来。而且，杜松人认为，这种尴尬的情绪反应不仅是正常的，也是得体、有礼貌的。

Pronoia（英语）："认为所有人都在合谋令我快乐"，虽然事实上可能并非是这样。在塞林格的《抬高房梁，木匠》一书中，Seymour Glass这样自嘲："上帝啊，如果要说我有什么毛病，大概我就是被害妄想者的反面吧。我怀疑人们在合谋使我快乐。"社会学家Fred Goldner则将这种情绪命名为pronoia。

Torschlusspanik（德语）："舱门即将关闭时的慌张"。它可以形容在赶火车、飞机时舱门即将关闭的慌乱，或者当时间已经在不知不觉中流逝，感到截止日期越来越近时的不安。

以上只是列举一些你可能不知道的情绪概念，如果想要学习更多，可以去看看Watt-Smith（2016）在去年出版的《人类情绪手册》，里面列举了156种不同的情绪概念。

要想更好地控制和管理自己的情绪，而不是被情绪反控制，我们需要进行更多学习，才能在每一种情绪出现的时候抓住它们，说出它们的名字，而不是任其发展和蔓延。如此，情绪才会被我们化敌为友。从此，当你在感受到不高兴的时候，努力去识别它，而不要再只是说"宝宝有小情绪了"。

# References

Barrett, F. (2016). Are You in Despair? That's Good. The NY Times.

Dahl, M. (2016). 10 Extremely Precise Words for Emotions You Didn't Even Know You Had. Science of us.

Kashdan, T. B., Barrett, L. F., & McKnight, P. E. (2015). Unpacking emotion differentiation transforming unpleasant experience by perceiving distinctions in negativity. Current Directions in Psychological Science, 24(1), 10-16.

Lewis, M., Haviland-Jones, J. M., & Barrett, L. F. (Eds.). (2010). Handbook of emotions. Guilford Press.

Watt-Smith, T. (2016). Book of Human Emotions. Profile Books Limited.

停止煎熬的方法，是不再对抗

# 如何跳出心的困境

日常生活中，大多数困扰着我们的并不是最近发生的事情，而往往已经存在有些时日，甚至是好几年了。像是和父母之间的冲突、放不下的前任、长期的抑郁或社交焦虑等等。我们不断地询问为什么："为什么我就不能走出来？""为什么这么久了我还是觉得难过？""为什么这一切要发生在我身上？"

为了回答这些"为什么"，我们找到了心理学家Steven Hayes和Spencer Smith（2005）的*Get out of Your Mind and Into Your Life*，结合这本书中的观点，来和大家谈一谈，为什么我们会在伤害发生之后备受煎熬，是什么让我们沉浸在这种负面的状态下，我们该如何缓解自己的煎熬感。

**痛楚感是不可避免的，但不代表我们要为此反复"受煎熬"**

Pain is inevitable. Suffering is optional.这句话的意思是说，

尽管人们时不时总会有痛楚感，但痛楚感不一定就会变成一种无休无止的、严重的折磨。

在书本的开始，Hayes和Smith（2005）提出：人们常常将痛楚感（pain）和煎熬（suffering）混为一谈，但实际上，痛楚感和煎熬是不一样的（P16）。痛楚感是对负面事件的应激性感受（sensation），它是伤害发生的信号（signaling）。每当我们遭遇到伤害，我们的大脑和神经就会做出反应，让我们感受到痛楚感；而煎熬发生在人们感受到痛楚感之后，是由引起痛楚感的负面事件引发的负面状态。在煎熬的状态下，人们会有一系列负面的感受、行为和情绪，像是慢性疼痛、情绪低落、失眠等。

打个比方，在被分手的那一刻，我们会感到伤心甚至胸口处出现酸痛，这些心理、生理上的痛楚感提醒我们：糟糕的事情发生了，我们失去了自己的爱人。被分手的过程很短暂，可在它结束后，我们依然会不断地回想前任、吃不下饭或是感到愤怒。这些事后负面的思维、行为和情绪，就是我们处于煎熬状态的表现。

痛楚感和煎熬的不同，还在于"痛楚感是不可避免的，但我们能选择要不要活在煎熬中"。所有人都有痛楚感，因为伤害总会发生（P14）。每个人都曾经或是都会感受到身体上的痛楚感；而只要不是早早夭折，人们总会经历或是将会感觉到失去家人与挚爱的悲痛。而且，人们不但无法回避痛楚感，人们也需要痛楚感。如果我们接收不到伤害发生的信号，我们很有可能无法避开危险、生存下去。

但是，不是每次伤害都会导致煎熬。比如，一个人的父母总是批评TA，但TA通过全身心地投入工作，在工作中找到了自己的价值感。于是来自父母的否定虽然会刺痛TA，但并不会造成困扰、阻碍TA交友和发展亲密关系，也不会经常想起这种否定，沉浸在反复回想造成的负面情绪中不可自拔。

Hayes和Smith（2005）提到，他们的书针对的不是"让人们不再痛楚"，而是"如何缓解或者消除人们的煎熬"。他们希望的是：在尝试了书里提供的方法后，困扰读者的心理问题可能仍然存在（也有可能不存在），但能够以一种不干扰读者的形式存在着（P5）。在介绍具体的方法前，我们先来聊一聊影响煎熬感的因素是什么。

## 是什么影响了我们的煎熬感

### 1.压抑与否认负面思想/情绪的意图，让我们更加煎熬

当伤害发生时，许多人会试图压抑或是否认自己的负面思想和感受。比如，有些人在失恋后会反复告诉自己："不要去想了！不要为这件事难过了！"然而，思维和情绪都存在"悖论效应"：如果你试图压抑负面想法和情绪，它们可能会暂时消失，但很快会再次出现，或是转变为其他负面的想法和情绪（P32）。

为什么会这样？一种原因是，当你试图回避负面想法或情绪，你会反复地检查自己是否有负面想法或情绪，于是你反而给

了它们更多关注。而且，当你试图回避时，你会一遍遍地想起它们可能带来的负面结果，让自己更加煎熬。比如，你告诉自己"我不能再抑郁了，如果我这么低落，我就没办法好好复习，可能会考砸"，于是你专注于压抑自己的抑郁感，并陷入了对考砸的焦虑中，反而无法专注学习。

**2. 将头脑中的想法与现实混淆，会让我们更加煎熬**

有时人们会将负面念头和现实等同起来，混淆了自己的想法和现实：他们认为自己的负面想法都将会在现实中成真或是已经实际发生。他们为了这些臆想中的负面"事实"感到焦虑与懊悔（P72）。

比如，有些社交焦虑者在和他人沟通中，会将对别人的猜测当作事实。像是当社交焦虑者发现别人对自己冷淡时，他们心想："对方一定不喜欢我。"实际上对方只是因为困倦而反应较慢，并不是真的对社交焦虑者有恶感。但社交焦虑者坚信自己的想法是事实，于是中断了社交，避开了"不喜欢自己的人"。

又比如，有些人会为自己的恶意念头担惊受怕。像是有人一旦想到一些不那么道德的渴望，就担心自己真的会在现实中付诸行动，并开始自责，认为自己是个邪恶的人。但实际上，有想法不代表人们真的会在实际中付诸实践。

**3. 僵化的自我，会加深我们的煎熬**

有些人习惯给自己"贴标签"，这些标签一般以"我是____"开头：比如低自尊者会告诉自己"我是个失败者"。心理学家称这些标签为"概念化的自我"（conceptived self）。他们没有意识到人是复杂的、可变的，可能在不同的情境下做出不同于"概念化的自我"的表现；他们不相信自己能够改变，而是用"概念化的自我"局限自己，让自己只能依照这些僵化的模板来行动和思考（P107）。

一旦他们发现自己的情绪、思维或行动与"概念化的自我"出现不一致，他们会因为这种认知上的冲突感到不安。比如，有些抑郁者会为自己的好心情感到担忧："我是个抑郁症患者，我怎么能感到快乐呢？"

**4. 如果能从痛楚感中找到意义，我们就不会那么煎熬**

当人们在完成一件事的过程中受到伤害时，如果人们能想到完成这件事的动机和意义（比如完成后可以得到钱或是他人的肯定），他们的煎熬感会降低。人们惧怕的是毫无意义地受苦。如果自己受到伤害，但得不到任何回报，或者主观感到伤害远大于所得，人们会觉得自己损失过多，感到沮丧和不公。也就是说，如果我们能为伤害的发生找到意义，我们就会更少为它感到煎熬。

## 如何能减轻我们的煎熬

**1. 学着注意和表达想法与情绪：给它们"贴标签"**

之前提到：试图压抑和否认情绪、想法，反而可能造成我们更加煎熬。那么，有一种方法可以帮助人们在想法、感受、记忆出现时抓住它们——当你在描述自己的情感和思绪时，不要只是陈述它们的内容，还要给它们贴上行为过程的标签。

比如，如果你感觉很沮丧，不要只是说"我很沮丧"，而是说"我现在正在感到沮丧"；当你觉得自己快要崩溃了，那么也不要说"我要崩溃了"，而是"我现在正在想自己要崩溃了"。通过反复尝试这种方法，你可以带着一定距离感，更敏锐地捕捉到自己瞬息而过的想法、感受与情绪。Hayes和Smith（2005）介绍了几种标签的形式（P90）：

我正在想＿＿（描述自己的想法）；

我正感觉到＿＿（描述自己的感觉）；

我正在回忆起＿＿（描述自己的回忆）；

我正感觉自己的身体的＿＿部分感受到＿＿（描述自己身体感觉的特征与部位）；

我注意自己想要＿＿（描述自己的行为冲动或是倾向）。

### 2. 记录"去混淆日记"，避免混淆想法与现实

如果你认为自己负面的念头总会导致不幸的发生，你可以先将自己的想法记在纸上；随后，写下现实中是否发生了和这个念头相关的事件；并且在最后，要写下是什么导致了事件的发生：是自己有了这个想法吗？还是因为环境因素？又或者其他人应该对这件事负责？

举个例子。比如一个人在演讲开始前，脑海中闪过一个念头："我有不好的预感，这次演讲会搞砸。"在演讲之后，你记

录下之后发生的事和事情发生的原因：

我的想法是演讲可能会糟糕。

现实中发生的是演讲时话筒忽然没有声音，不过在现场补救后，还是完成了演讲，反响不错。

是什么导致了事件的发生？主办方准备的问题。

通过反复地比照自己的念头和现实，人们可以逐渐意识到：自己脑海中的想法和现实是两回事，它们可能并不一致；即使有时一致，也不是因为自己想到了这个念头，才导致事件的发生。

### 3. 去除自我概念化

首先，试着认识到我们给自己贴了哪些标签："我是女生，所以我____""我是个抑郁症病人""我是个不被人喜欢的人"。你可以把这些标签都写在便利贴上，然后贴在自己身上。

之后，你问自己："我在所有情形下的行为、想法，都完全符合这个标签吗？有没有过任何不符合的例子？"比如，如果一个人觉得"我是个没有人喜欢的人"，那么可以问问自己："真的吗？真的从小到大那么多年，没有任何一个人对我表达过善意？没有任何一个人愿意和我做朋友？"通过这种反复自问，我们可以发现自己的生活中与标签上不一致的地方。认识到我们能够超越那些标签的局限，拥有更复杂的想法、感情，做出不一样的行为。

最后，你可以将这些便利贴扯下、撕掉，并问自己："现在我没了这个标签，我又是谁？"比如一个人撕掉了"我是抑郁症患者"的标签后，问自己："除了是一个抑郁症患者之外，我还是谁？"TA可能会得到形形色色的答案："我是他人的朋友""我是一个女孩的父亲""我是一个扑克爱好者"等等。将这些新的答案写下，对着这些答案，我们会认识到，我们自身与我们的生活，远比那些标签更加多面、丰富。

我们往往通过和内心对话来分析事物、认识世界，因此，我们也常常轻信自己内心声音诉说的结论与分析，而不去质疑它。为此，Hayes和Smith（2005）鼓励人们体验"观察性的自我"（the observing self），来认识到"真实的自我不仅仅是那一刻头脑中的声音"。

你是你的整个人生，是不断变化、流动的各种想法、感觉、角色的集合。不管你身上发生了什么、想到了什么，都只是某个时刻、某段时间内的状态，都只是你真实的自我中的一小部分。慢慢地你会发现，每个人的身上都有着很多层面、不同程度甚至相互矛盾的真实，越接纳这种复杂的事实，越少会为自我的冲突感到煎熬（P112）。

### 4. 为自己的受苦找到意义

如果你遭遇到了负面的事件，试着发掘其中的积极面。比如自己从中学到了什么，自己体悟到了哪些过去没有认识到的道理。当我们用积极的视角去看待自己遭受的苦难时，我们并不是要去否认苦难的消极面（它们确实可能会给人造成创伤），也不是要去否认和压抑自己痛楚感的感受，而是努力接受"负面事件已经发生"的事实，不再试图去改变它。并且在痛楚感已经存在的基础上，试着研究这一段独特的经验，挖掘它的价值，来让我们在现在和将来过得好一些。

你可能会认为这只是一种自我安慰，但是相信我，人生需要一些自我安慰。而即便你知道那有一些自我安慰的部分，也不会妨碍它减轻你的煎熬感。

愿你能接纳你的苦。

## Reference

Hayes, S. & Smith, S. (2005). Get Out of Your Mind and Into Your Life. Oakland, CA: New Harbinger Publication.

"我要快乐"不应该是你唯一的目标

## 如何处理生活中的负面情绪

"我感觉自己最近特别丧。很焦虑。很讨厌这样的自己，有没有办法可以快速清除负面感受？感觉连自己的情绪都管不好，真的很讨厌。"

很多人会有这样的想法，对那些令人不愉悦的负面的情绪强烈抵触。但负面情绪真的毫无价值吗？我们又该如何处理自己的情绪？

### 你了解你的负面情绪吗

说到负面情绪，我们脑海中可能会立刻蹦出一些常见的：悲伤，愤怒，厌恶，尴尬……之所以把它们定义为"负面"，是因为这一类情绪体验是不积极的，它们让人不适，严重时还会干扰日常生活和工作。

不过，虽然负面情绪本身并不陌生，我们对它们却了解不多。

### 1. 比起正面情绪，我们拥有的负面情绪种类更多

心理学家Shaver Phillip和他的同伴参考了早前的情绪理论和自己的研究结果，将人的六种原始情绪及由它们衍生出的多种次级情绪绘制成了树状图表，从中可以发现，我们负面情绪的种类超过正面情绪的种类。

这其实是由进化决定的。因为，无法对有利事件产生积极情绪远不如无法对负面事件做出得当反应来得严重——前者可能妨碍我们变得更幸福，但后者却会危及生命。

### 2. 感受到多种情绪的人比只有正面情绪的人健康

生活的本质是复杂的，既有积极的事情，也有消极的时刻。因此，完全没有负面情绪是不可能的，而如果有人说自己只会开心，从不伤心、沮丧，那么他们其实是无意识地压抑了自己的负面情绪。情绪不会真的消失，它们的影响也不会消失。甚至，回避感受这些情绪会使它们对身体和心理健康造成更大伤害（Lefkoe，2014）。

研究还指出，从健康角度出发，比起一味地"开心"，更重要的是情绪的多样性。心理学家Quoidbach等人的一项样本数量庞大的研究调查得出，能感受到更多种类情绪的人比那些只是感受到很多正面情绪的人更健康，更少被诊断出抑郁。

### 3. 负面情绪触发行为改变

上面提到，负面情绪在进化层面上有重要意义，它们既有快速预警的作用，又是一种保护机制。时至今日，负面情绪依然被定义为一种行动信号（action signal）。

而相对地，正面情绪就不具有同样强烈的行为导向性。因为，相比起追逐更多快乐的动机，我们摆脱眼下难耐的痛苦的动机往往更加强烈。

## 为什么我们如此排斥负面情绪

### 1. 负面情绪带来生理上的不适感

不论是何种负面情绪都或多或少会给人带来不适。我们压力太大、情绪低落或负面思考时，人体内的皮质醇会大量分泌，让身体进入警备状态。于是，我们会产生一些不良反应——胸闷，呼吸不畅，心跳加速，血压上升，手心冒汗……

### 2. 自我形象管理

我们都不想在他人面前流露一些情绪，因为觉得它们会破坏自己在他人眼中的形象。比如，我们不轻易表现出对某人的嫉妒，因为不想自己被当作一个善妒的人；我们压抑愤怒，因为怕别人觉得自己脾气大；不想在对手面前暴露焦虑，让自己输了气势。

我们也会在心里对自己的"人设"有一些特定的期待——我们可能希望自己是温柔的、自信的、心胸宽广的。因此，当我们认为与自己"人设"不符的情绪出现时，我们会质疑，甚至责怪自己为什么不能控制、消除这些情绪。

### 3. 被过分强调乐观主义和正能量的价值观绑架

生活中我们总被教导要多些"正能量"，少些消极负面的情绪。我们总称赞那些脸上挂着笑容，无论何时都充满希望的人。当一个人遇到挫折的时候，TA会被劝说"乐观点"。

因此，很多人抱有一种乐观积极才值得被鼓励、接纳，而太"丧"则招人厌弃的误解。但事实上，悲观和乐观只是人们在面对人生的不可预测性时所采取的不同的动机取向，它们各有优势，没有好坏之分。

## 什么样的负面情绪是没有意义，应当警觉的

社会学家Elizabeth Bernstein指出，的确不存在积极的一面的负面情绪，她称它们为"空洞情绪"（empty emotions）。其中，最典型的两种是无望感和无价值感。

### 1. 无望感（hopelessness）

无望感，顾名思义，是一种染上了浓郁的绝望的情绪，它不基于某个具体的情境或某段特定的时期，而是涉及对整个未来的消极预期。

人之所以能够且愿意付出努力改变我们的生活，是因为一个信念，即"我们的行为会产生特定的结果，掌握这其中的联系，可以让我在未来通过行为达成目标"。因此，希望感是一种生活的必需品。

可如果这一信念遭到破坏，我们就会失去控制感，产生"怎么努力也没用""希望的不会发生"的预期。如此一来，我们可能会放弃采取行动。更糟糕的是，放弃尝试和努力可能导致

我们的预期成真，形成恶性循环。

因此，有种与无望感密切相关的行为叫习得性无助——本来可以采取行动避免恶果，却选择相信痛苦一定会到来，放弃任何反抗。习得性无助，就是在这样一个无望感的笼罩下的，让人一事无成的魔鬼。

### 2. 无价值感（worthlessness）

无价值感是一种自挫性的情绪，来源于没完没了的自我批评，认为自我的存在没有任何意义和价值。被这种情绪困扰的人可能因为无法看到、认可自身价值，而不由自主地去追逐财富、权力、名望这些普遍被认可的外在事物。

然而，即使他们拥有了这些，内心依然是空虚的，仅凭这些世俗定义的"价值"，是无法填补这种自我的无价值感的。

同时，陷于无价值感中的人还可能通过取悦他人、获得他人认可来找到自己存在的意义。但这种完全建立于他人的评价和反馈之上的脆弱的价值感，着实不堪一击。我们过去文章中多次讨论过的讨好型人格就与这种无价值感息息相关。

这无疑是一种使人痛苦的情绪，它令一切努力认可自己的行为都显得徒劳，让人迷茫且空虚，似乎找不到自己的立足之地。

空洞情绪最大的共同点，也是它们缺乏积极意义的原因是，它们脱离了现实，不基于真实发生的事件或客观事实，且往往是长期的、难以调节的——它们承载着一种虚无的悲观感。因此，空洞情绪很难引起良性的行为改变，毕竟它们不仅来由不明，且我们不论做什么，都缓和不了这些难耐的情绪。

此外，"我感觉毫无希望"及"我觉得自己一无是处"也是许多抑郁症患者日常的感受。因此，如果你觉得自己符合以上的描述，并且长期受到无望感和无价值感的折磨，那么你需要提高警惕，去寻求一些专业的帮助。

## 有意义的负面情绪又能为我们带来什么呢

除了应该警觉的空洞情绪以外，大多数负面情绪都有它们存在的价值。我们以四种常见情绪为例，来跟大家分享一些负面情绪的功能。

1. 愤怒（anger）：一个保护者，帮助我们明确自己的界限

愤怒是一种能量很强的、作用于保护自己的情绪。在我们的利益或安全受到威胁时，我们就会愤怒，这是我们受到侵害时最直接和真实的反应。这种侵害可能包括对我们的自尊、个人边界、人格、权利和利益等等方面。

愤怒使我们的关系不建立在权力斗争、投射和过度纠缠之上，如果没有愤怒，我们便无法在关系中建立健康边界。当愤怒提醒我们自己受到侵犯，需要抵抗时，如果我们成功保护了自己，这种情绪就会消散。而如果我们压抑了愤怒或是未能捍卫自己，愤怒才会造成不好的后果。

比如，伴侣过度干涉你交友，还强行查看你手机时，你可能会愤怒，因为你的边界遭到了侵犯。此时，TA或许会用"我

们彼此相爱，就应该没有秘密"这样的话来操控你，让你内疚，好像你为此不悦才是不对的。但你的愤怒是最真实的声音，提醒你要正视你的情绪，保护自己，认真对待这件让你愤怒的事。

## 2. 悲伤（sadness）：一种求救信号，让我们与他人建立深层的链接

悲伤是最具有感染力的情绪之一，也是一种极易引发他人同理心的情绪。一个人在遭受痛苦时流露出自己的悲伤，实质上也是在发出一种求援信号——我现在很难过，希望能够得到你的陪伴、理解和支持。研究发现（Bandstra，Chambers，McGrath & Moore，2011），共情、同情都和悲伤情绪有强烈关联。

因此，富有感染力的悲伤让人们凝聚在一起，加深彼此之间的理解和羁绊。俗话说患难见真情，而事实上分担悲伤的确比共享快乐更能加深我们与他人之间的链接。

除此之外，逆境中的悲伤其实对我们有利。加州伯克利的研究表示，悲伤状态造成的大脑变化使得一个人的记忆更加深刻，收集信息、细节的能力会变强。这是因为，"快乐"是一种熟悉和安全的信号，我们会不自觉地放下心来，不去关注细节，而悲伤则恰恰相反。

另一项研究中，沉浸在悲伤中的志愿者在做判断时更能识破欺骗性的信息，且不受到一些刻板成见的影响。出人意料的是，人们在悲伤时反而更有动力去完成一项复杂的任务，并愿意为之付出更多努力。

因此，悲伤让我们在困境中有所收获，也使得我们更好地

处理问题，走出悲伤。事实上，压抑悲伤才会让人更加走不出来。当人生遭遇低谷时，悲伤是一座我们为了回到快乐基准线所必经的桥梁。

### 3. 嫉妒（envy）：一把尺子，帮我们认清自己的位置

嫉妒起源于社会性的比较。研究表明，当人们只是被放在同一间屋子里时，他们就已经开始互相打量了——谁更聪明，谁更好看，谁更强壮……在这种源源不断的比较中，嫉妒的产生是难以避免的，也是它让我们认识到自己在残酷的社会资源竞争中所处的位置。

心理学家认为，嫉妒分为良性（benign）的和恶意（malicious）的两种。后者包含一种破坏性的意图，希望减少被嫉妒的人在比较中的优势（Wallace，2014）。在嫉妒的这个方面的作用下，人们会通过谣言、诋毁、诽谤或其他间接的破坏行动以贬损被嫉妒者。

而前者则具有崇敬和启发性的部分，它更像是一种"TA能做到，那我也能"的心理。因此，善意的嫉妒能化为动机，人们会通过模仿、观察学习、自我提升等方式尝试接近或达到被嫉妒者的成就。

嫉妒产生通常基于对熟悉个体的基本评估，所以我们很难对离自己太遥远的人产生这种情绪。也就是说，我们嫉妒的对象通常是与自己有关、相似并且可及的，或者至少是自认为可及的。因此，嫉妒也让我们更好地设立更加具象的目标。

### 4. 焦虑（anxiety）：一枚情绪的通用货币，提示我们关注

## 它背后的问题

弗洛伊德在《抑制、症状与焦虑》中探讨了三种类型的焦虑，他认为，所有的焦虑感都来源于"冲突"——我们和外部世界的冲突及我们自身内部，也就是"本我（id）""自我（ego）"和"超我（superego）"之间的冲突。

第一种是现实焦虑，来自自我与现实间的冲突。当我们感觉外部世界有危险时，自我会发出一个信号来警戒头脑，这个信号就是焦虑，比如害怕电梯失控或无法按时完成工作。单纯的现实焦虑是相对健康的，控制在一定程度还能更好地调动我们的行动力。

第二种是道德焦虑，来源于自我和代表道德感、良心的超我间的冲突。超我负责制造内疚和羞耻，当自我的想法触犯了自己的道德良心，超我就会以内疚和羞愧来惩罚我们。因为害怕这种惩罚，每当我们刚产生可能会触犯道德的想法，自我就立刻给出一个信号来警醒我们，避免惩罚的到来。这个信号也是焦虑。

第三种是神经性焦虑，来自自我和代表潜意识的欲望与恐惧的本我间的冲突。这种焦虑的产生是由于被压抑了的欲望或恐惧太过强烈，以致一旦释放，自我就会无法承受，甚至因此崩溃。这种焦虑可能让你完全不知道自己在焦虑什么，也可能误以为自己焦虑的是一些表象的东西。

综上，焦虑这种情绪常常是"化妆后"的某种别的情绪，有人将焦虑形容为"一种通用的钱币"，认为它是一切情感的兑换品。而我们之所以难以弄清焦虑背后究竟为何，是因为比起其他负面情绪，焦虑是最难耐的一种，也是最具任务导向性的一种——我们会想立刻缓解这种焦虑。

于是，这个立刻却只是暂时缓解焦虑的动作会阻挡我们去面对自己真实的情绪。而我们如果无法意识到焦虑背后到底是什么，这种焦虑就永远得不到解决。也就是说，你只要一旦触发了那个情景就会感到焦虑。

因此，焦虑是富有深意的。如果反复为同一件事物焦虑，或是经常产生不明不白的焦虑，那么，焦虑是在提示你还有未完成的愿望或是没解决的问题。而真正克服焦虑的第一步，就是去弄明白你焦虑背后的东西。

## 如何利用负面情绪做出正面的改变

研究表明，想摆脱自己的负面情绪，会越陷越深；而坦然接纳负面情绪的人，则能更好地面对它指向的问题，更快走出这种情绪，不让一种对负面情绪的情绪给自己造成更多伤害（Delistraty，2017）。

有价值的负面情绪是那些能引导积极改变的，它们的出现是一种信号。而我们付诸行动的动机就是想减轻负面情绪的煎熬。

因此，想要好好利用负面情绪，最重要的是要先辨识出它们，然后明白什么样的行为能够缓和它对你造成的影响：

1. 学会标记情绪

当情绪出现时，不要只是说"我心情好"或"我心情不好"，试着准确描述你感受到的情绪，越具体越好，并给它们命名。

如果你觉得识别情绪有困难，那么可以试着静下心来，深呼吸，觉察你的生理反应。比如，心跳很快可能是焦虑，心胸格外沉重可能是悲伤，下巴不由自主绷紧可能是愤怒……

**2. 列出利弊清单**

虽然负面情绪是在提醒我们有一些事需要做出改变或是需要回避，但在执行之前还需要问自己：是不是改变了这件事我就能感觉好起来？长远来看利大于弊吗？

此时，你需要思考是哪个，或者哪些行为使你产生的这种情绪，然后写下这个行为让你感觉良好，或是为你带来好处的方面，再写下该行为让你觉得不舒服的地方。有时，我们会因为急于缓解某种负面情绪，而匆忙地做出一些对自己不利的改变，因为在做很多必须要完成的事时，一定的负面情绪是不可避免的。

**3. 倾听内心的"应该"**

我们内心常会有一些告诉我们"应该"做什么的声音，在恰当的时候聆听它们很重要。比如，在同学聚会上，一个许久不见的老同学兴奋地和你分享她的喜事——最近工作升职了，恋爱了，过几天要和男友一起去度假。

你越听越不爽，甚至突然不太待见这个人了。那么，你可能是在嫉妒。而你内心的声音在说：我应该更加努力工作，应该多社交才有机会脱单，应该对自己好点……此时，这个内心的声音可能是在指导你下一步应该怎样做，而这个指示常常是有价值的。

### 4. 想象"与孩子对话"

想象如果一个孩子和你身陷同样的情绪中，而你需要帮助TA，那么你会怎样宽慰TA，给TA什么样的建议呢？你不会鄙视、无视或责怪那个孩子，你会认真倾听，耐心开导。

比如，当孩子因为自己最好的朋友怀疑自己而愤怒，你可能会先表示理解，建议TA不要在愤怒的当下做冲动的决定，会陪TA一起梳理这件事情的起因经过，看这件事可以如何解决，愤怒如何消散。然后你需要以同样的方式对待经受负面情绪的自己。

### References

Bandstra, N. F., Chambers, C. T., McGrath, P. J., & Moore, C.(2011). The behavioural expression of empathy to others' pain versus others' sadness in young children. Pain, 152(5), 1074-1082.

Bernstein, E. (2016) Why you need negative feelings. The Wall Street Journal.

Delistraty C. (2017) You'll be happyier if you let yourself feel bad.Science of Us.

J.D. Meier. (2011) Use negative emotions as a call to action. Sources of Insignt.

Lefkoe, M. (2014). Suppressing negative emotions is unhealthy. Lefkoe Institute.

Quoidbach, J., Gruber, J., Mikolajczak, M., Kogan, A., Kotsou, I., & Norton, M. I. (2014). Emodiversity and the emotional ecosystem. Journal of experimental psychology: General, 143(6), 2057.

Shaver, P., Schwartz, J., Kirson, D., & O'connor, C. (1987). Emotion knowledge: further exploration of a prototype approach. Journal of personality and social psychology, 52(6), 1061.

Wallace, J.B. (2014). Put your envy to good use. The Wall Street Journal.

压力过大的十种表现，你中了几条

# 如何科学地应对压力

来看看你是否遭遇了以下这些状况：

在工作日仿佛是被上紧了发条的钟表马不停蹄，但一到周末就浑身乏力，懒得动弹；

常常感觉全身酸痛，尤其是肩颈、腰、臀、背等部位；

很容易就出现腹泻等肠胃不适的状况，或者频繁感冒；

性欲明显下降，无论是面对伴侣还是其他可能引起快感的刺激，内心（身体）都"毫无波澜"；

莫名变得特别喜欢吃甜食及各种高热量的食物；

习惯性拖延，不论是工作还是生活上的事务，都总要是拖到"死线"（deadline）来临前才着手处理；

与他人相处时总是带有攻击性，敏感，很容易就把他人一句再平常不过的言辞当作是对自己的责难；

心里感到很矛盾，一方面渴望独处，对周围人感到不耐烦；另一方面渴望被陪伴与倾听，希望得到他人的理解与支持；

情绪波动很大，时常会莫名地大发雷霆；

"负能量"爆棚，整个人很消极，也总忍不住以负面的态度思考一切。

如果你觉得自己最近，或者较长一段时间内出现了上述多种状况，说明你的压力状况已经值得担忧了（Prevention，2015；Segal，Smith，Segal，& Robinson，2017）。

但并不是所有的压力都会给人带来严重的负面影响，也并不是所有人在遇到类似的压力情境时，都会受到同样程度的打击。那么，为什么有些人更容易受到压力的负面影响呢？

这其实主要与每个人应对压力的方式有关。换言之，在"压力"及"其对一个人所造成的影响"之间，有一个十分重要的中间变量——这个人应对压力的模式。

## 四种应对压力的模式

压力的存在，从来都不是单纯负面的。事实上，它是每个人都必须要有的，对存活有着重要的意义。

人在受到威胁或刺激时，身体的交感神经系统会被激活，并开始释放大量的压力荷尔蒙。这会使得整个身体处于应激的状态之下，此时，人的心跳会加速，肌肉会变得紧绷，血压上升，呼吸变得急促，感官变得敏锐（Segal，et al.，2017）。

这种对压力的应激反应使得人的注意力与精力得以集中，

加快了人做出响应的速度，在弱肉强食的时代，为自己寻得一线生机（Stress Stop，n.d.）。这也被认为，是人类能够在大自然的丛林法则下存活、繁衍下来的重要原因。

一直以来，社会大众与研究者们都认为，人们在压力状态下会做出"战或逃"（fight or flight）的选择，或者投入战斗，或者转身逃跑。近年来逐渐有研究者指出，除了"战或逃"，人们还会出现两种反应——僵死或服从（freeze or fawn）（as cited in，Heaney，2017）。

在僵死或服从（freeze or fawn）的状态下，与战或逃时的反应不同。此时，血压下降，行动与声音都被抑制，看上去可能如同昏死一般（Schmidt，Richey，Zvolensky，& Maner，2008），像在表示投降和服从。一方面人们可能因此逃过一些只对"活物"感兴趣的猎食者的捕杀；另一方面当人处于这种僵死的状态时，也有助于减少可能的失血量和痛苦感（Stress Stop，n.d.）。

在现代社会，这四种人体的神经应激反应被一直沿袭下来，成为人们应对压力的主要模式（Reisinger，as cited in，2017；Spiritual Self Help，2017；Stress Stop，n.d.）。

1. 战斗（Fight）

在面对压力时，一些人会进入战斗模式。比如，当一个人在遇到棘手的新项目时，TA会不分昼夜地加班加点，一丝不苟地完成任务，拼尽全力地达成目标（Spiritual Self Help，2017）。"战斗"的应对模式，能够帮助人们化压力为动力，最终战胜困难，获得自己想要的结果。

### 2. 逃跑（Flight）

人们也可能在面对压力时选择放弃或逃离（Spiritual Self Help，2017）。比如，当一个新的职位充满了挑战和困难时，有些人就可能会主动选择放弃这个升职的机会。尽管很多人总把放弃或逃离看得很负面，认为这是意志力不足、不求上进或懒惰的象征，但其实有时候，"逃"能让人避免在压力面前过度坚持而屡屡受挫。

### 3. "僵死"（Freeze）

当发现眼前的困难过于强大时，儿时的我们可能会哭到昏睡，出现所谓的"断片"，这就是我们在以僵死的模式应对压力（Heaney，2017）。成年后，这种模式则更多表现为疲乏感或者嗜睡。比如，有些人会在压力来临且尚未做出行动前，就感到疲惫。

不过，这种疲乏感并不是一种逃避——它不是一个人主动做出的，而是被动感受到的。这种僵死的应对机制，"能让人们感觉自己在压力的情境中'消失'了，就仿佛痛苦也随之消失了一般"（Seltzer，2015）。

### 4. 服从（Fawn）

人们在应对日常压力时，还会表现出对压力源的"服从"，即向给自己带来压力的事或人妥协、尊崇或讨好地安排。这在一些情况中，能够帮助人们趋利避害，更好地达成目标。

现实生活中，压力的来源可能是复杂多样的，这就意味着，每个人需要根据具体的情境，灵活地运用不同模式来应对压力，才有可能最大限度地减低压力给自己带来的负面影响（Walker，n.d.）。

也就是说，当有希望战胜压力时，TA需要全力以赴，为实现目标而争取（战）；当坚持可能带来更大的伤害时，TA要能果断选择放弃（逃）；当压力过大时，可以多给自己一些时间休息（僵死）；当自己感到不知所措时，TA也需要和压力源交流沟通，更好地了解压力源（服从）。

但如果，一个人总是单一地使用某一种模式去应对生活中出现的所有压力，那么TA就很可能会为压力所困。下面我们会结合家庭教养类型，更具体介绍单一应对模式会带来的问题。

**家庭教养模式影响我们应对压力的模式**

心理学家们认为，有些人之所以在成年之后总是以某一种固定的模式应对压力，与他们所受到的家庭教养方式有关（Seltzer，2015；Spiritual Self Help，2017）。1965年，美国临床心理学家戴安娜·鲍姆林德提出了衡量家庭教养方式（parenting styles）的两个维度（as cited in，Locke，Campbell，& Kavanagh，2012）：

回应（parental responsiveness），即父母对孩子需求（生理、情感等）的回应程度。

要求（parental demandingness），即父母对孩子自身成

熟、独立、责任承担等的要求。

根据这两个维度,家庭教养的方式可以被分为:低回应高要求、高回应低要求、低回应低要求和高回应高要求。

### 1. 低回应高要求:"虎妈狼爸"与不停战斗的孩子

在这种家庭教育中,父母对孩子的要求很高,他们希望孩子是完美的、优秀的。同时他们对孩子的回应又是有限的、有条件的,孩子需要通过不断努力达到完美,才能获得家长的关心和爱。这使得这些孩子习惯于用"战斗"的方式获得自己想要的结果,包括试图战胜一切压力。

然而,这却容易让他们凡事都过度坚持,甚至有些完美主义(不仅追求完美,同时无法容忍缺憾)。这可能会使他们无时无刻都处于战备状态,始终无法放松地投入生活,这不仅可能引发焦虑、免疫、消化、心血管等疾病,甚至可能改变大脑的功能结构,进而影响个体的记忆、逻辑、决策的能力(均与过高的皮质醇水平有关)(Bergland,2014)。

### 2. 高回应低要求:"割草机父母"与总是逃避的孩子

"割草机父母"指的是那些为了孩子的成功,随时赶在孩子前面将"杂草"清除,为孩子摆平成长道路上的一切困难的家长。这些父母对孩子的要求百依百顺,但却缺乏对他们的基本规训(discipline),以至于这些孩子一遇到困难就想逃避,希望得到父母保护,无法独立承担责任。

事实上,不断逃避并不会让这些人免受压力的伤害。当他们习惯于逃避的时候,任何一点点困难都有可能引发他们的压力反应（交感神经系统的激活）。与不停战斗的孩子相似，他们也会因此受到过高的皮质醇水平所带来的负面影响。不仅如此，习惯性逃避还可能让他们更容易感觉到自己"一事无成"，进而产生消极的挫败感和无望感。

### 3.低回应低要求："缺位的父母"与"消失"的孩子

这些父母既不关心孩子的需求，也不对孩子有所寄望。长久以来，这种关爱的缺失让这些孩子觉得自己唯有"消失"，才能感受不到被忽视的痛苦。因此，他们习惯于隐匿于人群之中，既不敢表现自己、为自己争取，也不懂得逃离、避免伤害（Spiritual Self Help，2017），他们仿佛被"卡"在压力或痛苦的情境之中，直到精疲力竭。

而一味地以"消失"来回避压力带给自己的痛苦，很有可能会让人长期缺乏对自身感受的觉察，使人陷入长久的空虚，甚至连自己内在的需求与愿望都有可能逐渐僵死或丧失。他们总觉得自己疲惫不堪、紧张忧虑，却不知道这种感受缘何而来。这样有可能引发惊恐发作、强迫行为等（Seltzer，2015）。

### 4.高回应高要求："直升机父母"与"服从"的孩子

"直升机父母"，通常会把孩子当作一切生活的重心，在将孩子的需求摆在至高无上的地位的同时，也对孩子有着不切实际的高要求。这些父母尤其在意孩子所取得的成就和在公开场合的表现，因而也会过度卷入孩子的生活，试图在各个方面施以控制、监视。这便会让孩子对父母"唯命是从"。

这些人习惯于服从，不惜牺牲自己的利益与边界去迎合他人。他们无法发展出健康稳定的自我感，他们的行为往往并非从自身需求出发，而是基于对他人感受的揣测而做出，这可能让他们在关系中无法拒绝别人，过度付出，最终不堪重负。

那么，如果你发现自己正受困于某一种模式之中，但又想要尽可能地摆脱压力给你带来的负面影响，应该怎么办呢？

## 如何更好地应对压力

首先，你需要意识到，人们可以选择在不同的压力情境中，以不同的模式应对压力。尤其是，很多成年人都遗忘了自己在面对压力时，还有一种选择——"暂时停下脚步，去休息、调整"。

其次，你可以尝试去理解自己为何会受困于某一种应对模式，它可能带给你怎样的影响，并且试着主动去做出调整，比如，再次面对不可企及的目标（unattainable goals）时，不妨知难而退，或者再次遇到充满挑战的机会时，不妨迎难而上。

最后，一个人在多大程度上受到压力的负面影响，不仅与TA应对压力的模式有关，还与TA的一些生活方式和习惯有关。日常生活中的一些小方法也能帮助人们应对压力：

### 1. 保持每天30分钟的运动

研究发现，一定量的运动不仅能够刺激内啡肽的释放，还能对交感神经系统（压力荷尔蒙的释放）有一定的抑制作用。（Parker-Pope，n.d.）。

## 2. 保持一定频率的性生活

Pinzone医生发现，一定频率的性行为（他特别强调了是性交而不是DIY）与维持健康的血压水平有关。另外，研究者还发现，性生活，包括抚摸、亲吻、拥抱等都能促进人体内多巴胺、内啡肽等的释放，让人感到愉悦，缓解压力带来的紧张、不适感（as cited in，Robinson，2013）。

## 3. 尝试正念饮食（Mindfulness Eating）

压力会让人们对甜食或垃圾食品变得更有渴望（研究者认为，这可能与压力会大量消耗脑内葡萄糖有关）（Reisinger，as cited in Heaney，2017）。临床医师Michael Finkelstein建议，为了避免在这种渴望驱动下的暴饮暴食，你可以尝试"正念饮食"，它让你既品尝了食物也不至于"伤身"。

当你下次用美食给自己减压的时候，不妨尝试：

将一勺食物（比如抹茶蛋糕）放进嘴里。它是你最喜欢的食物之一。

放下勺子，先别急着吃第二口。慢慢咀嚼。感受食物的香气、味道、口感，以及它们的层次。感受当下（be present in the moment），专注地，只想着你嘴里的那口食物。想象它是如何一步步被制作完成的，甚至从原材料的生长开始；尽情享受当下这个时刻（savor the moment）。

数据证明，正念饮食方法可以非常有效地抑制压力带来的暴饮暴食问题。

## 4. 练习想象（Visualization）

在日常生活中，练习去想象更大的图景。你可以尝试（Gill，2017）：

问自己"什么是我想要的生活"，去想一些与你的价值观、你所关心的这个社会，及你最感兴趣的事情相关的东西。

闭上眼睛，想象自己身处这样的生活中，这是怎样一幅图景？想得再具体一些，在这个场景中，周围环境的光线是什么样的？你听到了什么声音？你闻到了什么气息？你正在做什么？周围还有什么人？你感觉怎么样？

记住这种感受和图景。然后慢慢睁开眼睛，问自己，我可以做什么去实现它？

在这个过程中，你不再仅仅关注于眼前，原本让你倍感压力的事情和它带来的痛苦也都会显得渺小，变得可以承受，而你也会看到更多的可能性——包括未来生活的更多可能性以及实现目标的方法的更多可能性，并在这个过程中获得更大的意义感。

## References

Bergland, C. (2014). Chronic stress can damage brain structure and connectivity. Psychology Today.

Gill, B. (2017). New to Visualization? Here are 5 steps to get you started. Forbes.

Heaney, K. (2017). When stress makes you fall asleep. Science of Us.

Lock, J.Y.,Campbell, M.A., & Kavanagh, D. (2012). Can a parent do too much for their child? An examination by parenting professionals of the concept of overparenting. Australian Journal of Guidance and Counseling, 22(02), 249-265.

Parker-Pope,T. (n.d.). How to be better at stress. New York Times.

Prevention(2015). 10 silent signals you're too stressed out.

Putnam, L.(2015). Workplace wellness that works: 10 Steps to infuse well-being and vitality into any organization. Wiley.

Robinson, K.M.(2013). 10 Surprising health benefits of sex. Webmed.

Segal, J.,Smith, M., Segal, R., & Robinson, L. (2017). Stress symptoms, signs, andcauses. Help Guide.

Seltzer, L.F.(2015). Trauma and the freeze response: Good, bad, or both? Psychology Today.

Schmidt, N.B.,Richey, A., Zvolensky, M.J., & Maner, J.K. (2008). Exploring human freeze responses to a threat stressor. Journal of Behavior Therapy and Experimental Psychiatry, 39(3), 292-304.

Spiritual Self-Help (2017). The four 'stress responses', and how they shape your emotional reactions to life.

Stress Stop(n.d.). Fight, flight or freeze response to stress.

"我为我的存在感到深深的羞耻"

# 人类最负面的情绪是什么

在所有不同类型的情绪/情感中，最负面的一种会是什么呢？心理学家们认为，人类最负面的情感既不是悲痛，也不是无法压抑的怒火，而是羞耻感（Shame）。

罗彻斯特大学临床心理学家Gershen Kaufman在他的著作*The Psychology of Shame*中写道："羞耻是灵魂的疾病。它是自我体会到的、关于自我的一种最令人心碎的体验。羞耻是我们体内感受到的伤口，它把我们和自己分开，同时也把我们与他人分开。"

绝大部分人在人际关系中感受到的不适都和羞耻感有关；它和愤怒、内疚有着密切的关系；破坏性的完美主义思维也与羞耻感的驱动有关。它渗透了我们，要理解我们自身的人格表现，我们必须认识羞耻感。今天我们就来深入聊一聊Shame。

## 什么是羞耻感

羞耻感是生动而痛楚的。它有时和被羞辱、被嘲笑、怯懦、尴尬、无法成功面对挑战的感受相关。

它是一种直接针对自我的情感，它让我们贬低自我的价值。羞耻中的人认为自己worthless。很多时候它不需要以"我做了不好的行为"为前提，一个人可以在什么都没做的时候仅仅为自身的存在感到羞耻。

在羞耻感中，一个人的自我意识（self-conscious）是"分裂"的——想象当我们处在另一个人的眼光下——羞耻中的人的自我意识就会有这样的分裂，自己永远处在自己的眼光下。在过去一篇关于社交焦虑的文章《为什么说孤独的人其实更擅长社交？社交焦虑与自我意识》中我们提到过过高的自我意识对社交焦虑的影响，羞耻感则会激发异常高的自我意识。

维基百科中关于"羞耻"的词条里写道：

英文中Shame一词的词根，来自一个古老的意为"去遮蔽"（to cover）的词语。（实际上的或者是象征意味的）"把自己遮挡起来"是羞耻感的一种天然的表达。

和很多种负面感受一样，一定程度内的羞耻感是常见的情绪，有它独特的功能性。羞耻感会切断一些正面情绪，例如兴奋、愉悦或者好奇。在它出现的一瞬间，它会切断由正面情绪带来的探索、投入的渴望，取而代之以警惕和抑制。想象小时候在班上蠢蠢欲动想要举手回答问题的你，在那个瞬间，一种情绪涌上来，让你死死按住了想要举起来的手，让你保持沉默。这种情绪就是羞耻感。加州大学圣巴巴拉分校社会学家Thomas Scheff提出，"羞耻感是'掌控'情绪（master emotion）。每当羞耻出现的时候，我们对其他情绪的表达就会受到抑制。"

Scheff博士指出，与绝大部分的情绪不同，羞耻感不会随着时间流逝而消失，它潜伏在我们体内。它也是最不容易被我们承认和释放的情感，是一种最隐秘的情感——悲伤时我们哭泣；愤怒时我们发火；感到羞耻时，我们却会尽量减少面部神情，不希望他人觉察。

心理学家、心理学博主Daniel Goleman写道，一定程度的羞耻感是正常的，但如果羞耻已经开始影响一个人关于自己是谁、自己价值多少的基本想法，它就是危险的——这也就是病理性的羞耻（pathological shame）了。每一次被指责或者微小的失败发生时，这种病理性的羞耻感都会被反复体验到。病理性羞耻有时也在关系中长期潜存。怀有病理性羞耻的个体认为自己存在着一些不足——例如经常性地感到自己是依赖的——而因为这种自己认知中的"不足"存在，个体隐秘地、持续地感到羞耻。这种羞耻有时是不能够转换为语言来表达的。

Scheff和美国加州大学学者Retzinger在1991年提出，羞耻感只有在人际互动的情境中才会被体会到。社会学家Goffman提出，我们在社会互动中最首要的目标，就是受到尊重和避免尴尬。社会互动中，我们对"他人对自己的看法"的担忧会升高，从而更容易感受到羞耻感。人们尤其容易在亲密关系中体会到羞耻感。

## 羞耻感VS内疚感

在这里我们引用临床心理学家Carl Goldberg在
*Understanding Shame*一书中的一些叙述，来帮助大家理解羞耻
和内疚这两种经常被混淆，都对人有着极大影响，在学术中经常
被放在一起比较和讨论的概念。

内疚来源于背离了某种原本被期待的行为。更简单地说，
内疚是因为做了一些不好的行为。

处于内疚的状态中，并不会像处在羞耻状态中那么糟糕。
它们有几个主要的区别：

1. **内疚关于某种行为，羞耻关于整个自己**

内疚和意识到自己做了一种错误的行为有关。羞耻则是介
意自己在别人（或自己）眼里是什么样子的。内疚者为行为内
疚，羞耻者却为自己的存在羞耻。这两件事对一个人的伤害程度
显然是有差距的。

2. **在内疚状态中的人，会比在羞耻状态中感受到更多的力量**

心理学家Kohut说，内疚者是他自己命运的制造者，而羞耻
者却是环境的受害人。内疚来源于自己做出的行为，因此虽然体
会着负面的情感，内疚者还是能感受到对自身的控制感。

在造成内疚的情境中，内疚者自己是行为越轨者，TA害怕
来自正义、道德的惩罚。而在造成羞耻的情境中，缺失的是对于

"造成羞耻"的施害者的惩罚，羞耻者所害怕的"惩罚"是失去与那些重要的他人之间的链接（例如害怕被讨厌，而归根结底很多羞耻者在最初都是恐惧会失去父母的爱）。我们不难看到，这两种体验里，后者显然是更无力的。施害的角色总是比受害的角色更多感受到自己有力量。

尽管在内疚中，一个人感受到自己对另一个人的责任，感受到自责、道德背负以及自我批评，但TA同时也会感到自己是一个有伤害能力的人——自己伤害了另一个人。在这两个人的关系中，内疚者体会到自己是有力量的伤害者，对方才是虚弱、脆弱、受苦、受伤者。

在羞耻中，自我既是主体也是客体，它虽然有时也是那些负面批判的发起人，但同时也是被批判的对象。羞耻者体会到"我不行""我没有能力/价值"。羞耻感让人虚弱。

### 3. 内疚指向表达，羞耻指向隐藏

内疚是指向他人的。一个内疚中的人，渴望得到他人的宽恕和原谅，有时还会做一些补偿性的举动（即便是对其他人），为了降低自己的内疚感。因此内疚更能激发一些行动，也更容易被表达以及被他人识别。

羞耻是指向自身的。羞耻会让人更抑制（更少做出行动），它给人自卑感。它会剥夺一个人的力量感和自信心。人们想要隐藏羞耻感——"不要让任何人看见真实的我，那太羞耻了"。

## 与羞耻有关的行为方式

### 1. 愤怒、攻击、亲密关系中的暴力

1968年，世界闻名的心理学家Kohut最先提出了一个名为"自恋愤怒"（narcissistic rage）的概念。当一个人的自尊、自我价值感受到威胁的时候，被称为"自恋受损"（narcissistic injury），此时就会产生自恋愤怒——人们使用"愤怒"来缓和痛苦的情绪。而羞耻感和自恋受损直接关联。

随后的几十年里，不断有学者提出自尊受损和攻击性之间的关系。当一个人的自尊受损时，TA更容易表现出强攻击性。如果你身边有一个总是莫名其妙攻击别人的人，很有可能羞耻感是TA一大隐藏的主要情感。

此外，心理学家Lansky提出，羞耻感是一种会在很大程度上消耗情绪的情感，因此，它的存在会降低我们控制冲动的能力（情绪管理能力有限）。当羞耻中的人感受到他人发出的语言或身体上的攻击信号时，他们更有可能做出冲动反应。

Retzinger提出，愤怒是最常见的用来应对羞耻感的方法。1995年的一项研究调查了从小学到大学毕业后的成年人，在感受到羞耻之后，所有年龄段的人控制愤怒的能力都出现了显著下降；而在感受到羞耻之前，所有年龄段的人控制愤怒的能力都没有下降。

精神病学家Gilligan说，"羞耻感，是一切暴力（无论是针对个人的暴力，还是针对特定人群的暴力）最初也是最本质的起

因"。愤怒、攻击、暴力都是一种不良习得的、对羞耻这种过于痛苦的感觉的应对策略。用愤怒这种看似强大有力的情绪，来遮蔽令人无力的羞耻感。为了应对羞耻，个体把内部对于自我的苛责，外化到了外界和他人身上，然后对这个外界和他人感到愤怒，加以攻击。这种感觉，要比纯粹的羞耻感好忍受一些。

不过，在羞耻和愤怒/攻击这一对关系中，自恋程度是一个有着很大影响力的变量。自恋的个体在羞耻感面前会格外脆弱，也更容易被激发愤怒的表现。

而近二十年来，数项研究发现，愤怒过后，个体又会为这种愤怒的反应感到更加羞耻。Scheff和Retzinger把这个现象叫做"羞耻—愤怒的循环"（shame-rage loops）。

值得一提的是，羞耻感强烈的个体，更容易在亲密关系中表现出暴力。他们更有可能在亲密关系里羞辱对方，或者使用身体上的暴力。这种暴力对他们来说的首要功能，是通过损害另外一个人的自尊感，来获得自己自尊感的提升。越不懂得如何处理负面情绪的人，越容易出现这种模式。而由于羞耻感如此隐蔽，很难转化为语言加以沟通，这类人的伴侣以为自己反复面对的是愤怒的问题，而难以真正处理羞耻的问题。

## 2. 全能幻想、虐待性的超我、受虐倾向

有病理性羞耻问题的人，更容易陷入这样一种想法："只要我变得够好、够强大，一切不好的事情都会消失。"（警惕那些贩卖这一类鸡汤的人。"只要你变强大一切不幸都会消失"这句话不过是"你所经历的不幸都是你自己的错"的反面表述，其

核心逻辑没有什么不同。）

　　他们有这样的想法，作用是对抗一种无能为力感。如前文所说，羞耻感会让人虚弱，它让人感到自己没有价值。而如果相信发生在自己身上的不幸都是自己的错，那么至少自己有可能改变不幸——正是这样一种对命运的掌控感。

　　他们存有对"全能""完美"和"绝对"的幻想。而这种幻想是永远无法被满足的。一个病人曾说，"除非当我持续地、一刻不停地受到赞扬和喜爱，否则我就觉得自己是一个彻头彻尾的失败者。"而正是因为这种全能和完美的幻想无法实现，他们又反复感受到羞耻以及内疚的情绪。通过这种幻想，他们获得一种基本的感受，即"我所遭遇的一切是因为我不能做到理想的自己"，此时他们感到了自己对命运的掌控感以及这个世界的一种基本的公正。这种感受虽然也是负面的，却好过一种纯粹的羞耻感。

　　这种"认为自己应该是什么样"的部分就是超我，而在病理性羞耻的人身上，这个超我显然是有虐待性的——它用一些无法企及的标准要求着这个人。

　　最后一些病人在这样有虐待性的超我之下，形成了受虐倾向——在受虐倾向的作用下，被动忍受的痛苦变成了愉悦，焦虑变成了兴奋，憎恶变成了爱，分离变成了融合，无助变成了力量和复仇，羞耻变成了胜利—— 一切被动性都变成了主动性，而羞耻变成了胜利。

　　事实上，也是因为这种全能幻想，羞耻，能够激发出伟大的人类成就。羞耻就像一面镜子，它逼我们看见那些通常被隐藏起来的自我的部分，让我们意识到实现自我价值的必要条件（尽管那种条件可能是虚高的）。但羞耻一定不能让我们感到快乐，即便在羞耻感的鞭笞下，我们获得了别人眼中和社会标准下的一些成就，这些成就也无法使我们感到快乐。

羞耻是一个十分复杂的问题，要处理自己身上的羞耻更是一场旷日持久的战争。当然我们的目标并不是完全摒除羞耻感（这也不可能实现），目标是把羞耻感控制在一定的程度和一定的频率之内，让它不成为我们自我价值感的底色。

希望这篇文章能够让一些人感受到自己一些行为思维表象背后隐秘存在的深层情感，并开始理解这种情感的尝试。

## Reference

Berkowitz, L. (1983). Aversively stimulated aggression: Some parallels and differences in research with animals and humans. American Psychologist, 38(11), 1135-1144.

Bushman, B. J., & Baumeister, R. F.(1998). Threatened egotism, narcissism, self-esteem, and direct and displace aggression: Does self-love or self-hate lead to violence? Journal of Personality and Social Psychology, 75,219-229.

Gilligan, J. (2003). Shame, Guilt, and Violence. Social Research, 70(4), 1149-1180.

Goldberg,C. (1991). Understanding shame.Jason Aronson.

Kohut,H. (1968). The psychoanalytic treatment of narcissistic personality disorders:Outline of asystematic approach. The Psychoanalytic Study of the Child,

23,86-113.

Kohut,H. (1972). Thoughts on narcissism and narcissistic rage. The Psychoanalytic Study of the Child, 27, 360-400.

Krystal,H. (1988), Integration and Self-Healing. Affect, Trauma, Alexithymia. Hillsdale, NJ: The Analytic Press.

Lansky,M. R. (1987). Shame and domestic violence. In D. L. Nathanson (Ed.), The manyfaces of shame (pp. 335-362). New York, NY US: Guilford Press.

Lickel, B., Kushlev, K., Savalei, V., Matta, S.,& Schmader, T. (2014). Shame and the motivation to change the self. Emotion,14(6),1049-1061.

Kaufman,G. (2004). The psychology of shame: Theory and treatment of shame-based syndromes. Springer Publishing Company.

Retzinger,S. M. (1995). Identifying shame and anger in discourse. American Behavioral Scientist,38(8), 1104.

Scheff,T. J., & Retzinger, S. M. (1991). Emotions and violence: Shame and rage indestructive conflicts. Lexington, MA England: Lexington Books/D. C. Heath andCom.

Wurmser,L. (1996), Trauma, inner conflict, and the vicious cycles of repetition. Scand.Psychoanal. Rev., 19:17-45.

"后来遇到许多人，可我都觉得不如你"

# 放不下过去怎么办

"他还太年轻，尚不知道回忆总是会抹去坏的，夸大好的，也正是因为这种玄妙，我们才得以承担过去的重负。"

——加西亚·马尔克斯

## 为什么很多人会觉得过去比现在美好

"觉得过去比较快乐"并不是一种小众的体验——很多人怀旧，都是因为相信过去要比现在美好。英国舆观调查网（YouGov）的一项调查结果显示，70%的受访群众都相信世界变得越来越糟糕了，只有10%的人认为世界在变得更好。同时，有55%的人都觉得他们的生活不如从前，而只有11%的人表示日子在越过越好。

1. 过去能给人带来一种掌控感和安全感

McAdams（2001）指出，通常情况下，人们在叙述自己的人生故事，理解自己的种种经历时，会呈现出两种不同的逻辑顺序：

（1）拯救式顺序，即描述一个人是如何从坎坷挫折中一步步获得最终成功的故事，是一种从消极到积极的叙事方法。

（2）毁灭式顺序，即讲述一个人生赢家如何跌落谷底，一蹶不振的故事，是一种从积极到消极的叙事方法。

但Wildschut等人（2006）的研究发现，人们怀念过去经历的方式大多只有一种——近80%的人，回忆往事的方式都呈拯救式的叙事顺序。换言之，我们在怀旧时，即便想起一些挫折、痛苦，也会怀有一种"我克服了它们"的积极深邃的情感和对人生的掌控感。

### 2. 你记忆中的过去戴着玫瑰色的滤镜

从事记忆研究多年的Elizabeth Loftus说，人类的记忆并不仅仅是对真实事件的总结，而更多是对他们"曾思考过的""被告知过"的及他们"所相信的"事件的总和。回忆是比我们想象中还要主观的一样东西，人的情绪、想象能力、信息出现的次数，以及身边人的记忆，都会对我们的记忆产生影响。

Tory Higgins和Charles Stangor（1988）在他们的研究中发现，当人们在回忆过去发生的事件时，他们只会记得自己对其的评价，却不会记得自己为什么给出了这样的评价。

举个例子，很多人都觉得童年有很多无法复制的美好，就连小时候最爱吃的零食长大后味道都变了。但其实，可能是因为年幼时零食少，所以现在看来平平无奇的东西，在当时给我们留下了"太棒了""好期待好开心"的评价和印象。

在回忆时，我们却因为忘记导致做出评价的具体细节，而将这个评价作为事实本身，由此坚信过去是更美好的。

我们的记忆不仅不客观、不准确，甚至还可能是假的——我们可能会记得从来没有发生过的事。Johnson等人（1993）的研究发现，擅长想象的人们，即使没有经历过一些事，他们仍旧可以通过想象，虚构出生动的细节。而过了一段时间后，当人们提取这些虚构出的细节信息时，他们会忘了这些细节都是自己想象出来的。

因此，在人们回忆过去时，很容易"脑补"一些并不存在的细节，或过度美化某些片段。"初恋"在很多时候就是这样的一种存在，因为这个名字常常就象征着美好和青春，并且我们往往留有遗憾。所以，我们可能会在一遍又一遍的回忆中，不知不觉地给这段时光增添更多的情节和情感。但，你自己却不会意识到，它在一遍遍的记忆重建中，早已不再是当初真实发生过的那个故事了。

假如你很幸运，你们仍是朋友，且双方都一样美化了过去的记忆，你们当下的相处可能会因此更加愉快。

### 3. 过去本身就是一种丧失，而失去的总是好的

从某种意义上来说，过去的本质是一种丧失。作为人，我们本能地排斥和抗拒失去。在经典的损失厌恶（loss aversion）理论的基础之上，有大量的研究结果都指向同一个结果：对于人类而言，"获得"带来的快乐远远抵不过"失去"带来的痛苦。

因此我们永远都会觉得，已经失去的比现在获得的更好。

4.有不少快乐，的确是"第一次"带来的

不论是经济学中的边际递减效应，还是社会心理学中的贝勃定律，都在强调一件事情：我们只有在初次体验一件事时，它给予我们的刺激才是最强烈的。然而，这种积极体验会随着我们接触它的次数的增加逐渐消退。也就是说，我们接触该事物的次数越多，我们对其的情感也越为淡漠，最后则会渐渐趋向乏味。

可惜的是，随着年纪的增长和阅历的增加，这种能将快乐最大化的、新鲜的"第一次"体验注定会越来越少，于是快乐似乎也随之变少了。

## 什么样的人尤其会对过去念念不忘

1.悲观主义者

维基百科对悲观（pessimism）的定义是"一种总是期待不良后果的精神状态，或者一种相信'在生命中，恶总是胜过善，困苦总是多过享受'的信念"。这个人群最大的特点之一就是对未来抱有一种消极的预期，并且相信自己无力改变这种未来。

悲观者更倾向于认为，好的日子都已经过去了，前方只会有更多艰难和挫折。因此，他们会更加愿意沉溺在过去的回忆之中。

2.被空虚感折磨的人

研究发现，怀念过去能够帮助那些感到空虚的人给人生经历赋予意义（Routledge et al., 2014）。不仅如此，重症病人对生活感到绝望的时候，怀旧也能够把生命的意义感重新带回他们眼前，为他们找到更多活下去的理由（Routledge et al., 2008）。

因此，有一群喜爱怀旧的人，是那些在当下的生活中找不到意义的人。这种"找不到意义"并不等同于世俗意义上的"过得不好"，他们可以看起来生活顺利甚至取得了很多成就。只是，他们会经常感觉到空虚，不知道自己是为了什么在生活，陷入一种"存在无意义"的状态。

对于这群人而言，与自己的过去建立一种深厚的联结，放任自己不时回到那个时空，是他们能够在当下重获生命的意义感，并且愿意继续走下去的重要理由。

### 3. 完美主义者

完美主义者念念不忘是因为总觉得过去有缺憾。他们心中往往存有很多的"本可以"和"早知道"，他们想念过去，但更执着于那些有遗憾的事，或是未竟的心愿。

## 怀念过去是有用的

### 1. 怀念过去能帮助建立及维持社会联结

Wildschut等人（2006）的研究结果指出，人们可以通过怀旧提高自己在人际互动中的能力。他们发现，"被唤起了怀旧感"的被试者会在之后的人际交往方面有更好的表现——更积极主动地与人建立联系（包括联系老朋友），更勇敢地表达自己的想法和感受，且更好地共情和照顾到他人的感受。

### 2. 怀念过去能帮助建立积极的自我认知

"我是谁"这个问题，很多时候不是由"我们经历过的客观事实"来回答的，而是来自"我们对自己过去的主观解读"。在记忆里重塑自己的生命故事，能让我们更加明白自己"是谁"（Whitbourne，1985）。

怀念过去时，如果你能用"我克服了种种困难变成了更好的人"的逻辑，讲述自己的过去，它就可以成为我们"认可自己的付出与成长"的一个自我肯定的过程。

若是过于留恋过去，甚至到了一种"活在过去"的程度，过去就必然会成为我们过好当下的阻碍。

## 活在过去是有害的

被过去束缚怎么办？

你可以积极地怀念过去，但你不能活在过去。活在过去的人，会失去很多眼前的机会，而当下又会在明天变成"你本可以掌握却失去了"的昨天。

以下有几个判断你是否"活在过去"的标准，如果你回答了多个"是"甚至全中，那你需要考虑"放不下过去"这个问题了（Kennedy，2014）：

你是否发现你对某一段特定的时光或经历紧抓不放，沉溺在其中，久久走不出来？

你是否坚信自己再也不可能达到过去那种程度的快乐和满足了？

现在的人生是否让你感到筋疲力尽？

你是否恐惧未来？

回忆、怀念过去到最后是否总让你感到悲伤？

如果你意识到自己就是个活在过去的人，以下有两点小建议想要送给你：

**1. 转换看待过去与现在的思维模式：从"失去了什么"视角到"得到了什么"视角**

许多对过去念念不忘的人，都尤其喜欢感慨自己一路走来生活中那些不论主观还是客观的负面变化——"我和以前亲密的朋友都走散了""再也没有那种不用为生活发愁的无忧无虑的日子了""从前人与人之间更加真诚，一封短信都小心斟酌"……

与此相比，我们常常忽视自己在岁月旅行中的收获。比如，虽然和青春期的伙伴走散了，却在自己达到相对成熟的状态时，结识了可以进行更多精神交流的朋友；虽然不得不面对生活的压力，却也能更自由地为自己做选择和决定；虽然快节奏的生活让人少了几分耐心，却也使我们可以更快、更便利地找到那些重要的人。

有研究指出，当人们被要求去有意识地回想和总结"自己身上和生活中的积极改变"时，他们对生活的满意度和幸福感也会得到提升。

因此，想要从自己深陷的过去这个泥沼中走出来，你需要提醒自己去关注、去思考那些你收获的，并肯定它们的价值——它们和你失去的那些东西一样珍贵与难得。此外，你还可以试着想象，甚至是模拟失去眼前的人和事的感受。

### 2.多制造"第一次"的体验

前面有和大家提到，我们之所以觉得童年、青春期那么快乐，有一个很大的原因是那时我们的阅历十分有限，很多体验对我们来说都是新鲜的、新奇的。而各种积极的初体验具有将快乐最大化的魔力。

记得以前看过一本书中说，同样是"逛公园"这件事，小时候的我们可能会这样描述："今天去逛公园玩，见到了很蓝的天，从没见过的花儿，摸到了一只非常活泼的白色小狗，妈妈还给我买了个好看的小风车。"

但，长大之后，我们的日记本里可能只会写下"今天去了公园"几个字。这种差异并不是因为公园变了，也不是因为我们变了，而是这些事对我们来说太司空见惯，所以我们不会再注意到它们了。

因此，我们能做的最简单的事，就是像小时候那样，重新去挖掘、探索各种各样的新鲜的体验，做一直想做却又迟迟不敢做的事。可以是去认识没有接触过的人，去没去过的地方旅游，去学习一样新的技能，去换一个全新的发型，去把自己房间装扮成完全不同的另一种风格……

诚然，我们体验过的东西会变得越来越多，但我们从未做过的事却也数不胜数。只是你需要稍稍踏出舒适区一点，而不是永远躺在自己最熟悉的地带。像个孩子一样永远对自己不知道的事物保持着好奇心，勇敢地去探索和尝试的人，也许也真的能一直像孩子一般快乐。

最后，愿过去成为令你变得温柔的理由，而不是束缚你前行的牢笼。

# References

Buckley,M. (2017). Why Does the Past Seem Better Than The Present?. Psychreg.

Higgins,E. T., & Stangor, C. (1988). A" change-of-standard" perspective on the relations among context, judgment, and memory. Journal of Personalityand Social Psychology, 54(2), 181.

Johnson,M.K., Hashtroudi, S., & Lindsay, D. S. (1993). Source monitoring. PsycholBull,114(1),3-28.

Kennedy,K. A. (2014). When you're living in the past. Huff Post.

McAdams,D. P. (2001). The psychology of lifestories. Review of General Psychology, 5,100–122.

Routledge,C., Arndt, J., Sedikides, C., & Wildschut, T. (2008). A blast from the past:The terror management function of nostalgia. Journal of Experimental Social Psychology, 44, 132-140.

Routledge,C., Juhl, J., Abeyta, A., & Roylance, C. (2014). Nostalgia proneness mitigates existential threat induced nationalistic self-sacrifice. Social Psychology,

45(5), 339-346.

Whitbourne,S. K. (1985). The life-span constructas a model of adaptation in adulthood. InJ. E. Birren & K.W.Schaie (Eds.),Handbook of the psychology of aging (2nded., pp. 594-618). NewYork, NY: VanNostrand Reinhold.)

Wildschut,T., Sedikides, C., Arndt, J. & Routledge, C. (2006). Nostalgia: Content,trigger, functions. Journal of Personality and Social Psychology, 91(5),975-993.

抑郁的人，比一般人更能看清现实

## 但快乐需要一些自我欺骗

　　不知道大家身边有没有这样一类人：他们自我感觉十分良好，非常懂得欣赏自己。在刚开始接触的时候，你甚至觉得他们有一点"自恋"。不过这种自恋又没到太夸张、讨人厌的程度。但时间久了，你发现他们看到的自己似乎真的就有自己眼中的那么好，而且他们似乎也因此过得挺快乐。再后来，你也被这种"迷之自信"影响了，觉得这个人貌似真的挺不错的。

　　看到这里你会不会想问：这不是自我欺骗吗？这样真的会让自己开心吗？

　　我们在讨论自我认知时，总是鼓励大家认识"真实的自己"，但如果你眼中的自己戴着一层粉红色的滤镜，这样的"自我欺骗"好不好？

## 我们自我概念的组成中，包含着自我欺骗的部分

心理学家Roy Baumeister和Brad Bushman在谈论自我概念（Self-knowledge或Self-concept）时，提到了三个维度：

**自我觉察**（self-awareness）——我们对自我的认识，即"我是一个怎样的人"。自我觉察通常可以分为内部与外部两种：我们对自己的认识，以及通过外界评价来了解自己。

**自尊**（self-esteem）——我们对自我的评价整体上是正面的还是负面的。总的来说，我们的自尊水平是由四个方面决定的：他人给我们的反应、我们对比自己和他人的方式、我们的社会角色、对自我身份的认同。

**自我欺骗**（self-deception）——自我概念中那些偏离了现实的部分。我们的自我概念往往是比客观事实更加积极的，而主观的自我概念与客观自我之间的差距，就是我们自我欺骗的部分。

美国社会心理学家Taylor Shelley和Jonathon Brown（1988）提出了"积极错觉"（Positive Illusion）这个概念，指的是人们对于他们自己，以及他们亲近的人所抱持的一种不切实际的积极态度。它也被认为是人们自我欺骗的一种最主要的表现形式。

而人对自我的积极错觉，又体现在三个方面：

### 1.对自我的美好品质的夸大

包含"优于平均效应"（the above average effect）在内等

经典研究结论显示，人们在评价自己时，都倾向于认为自己比起同僚是更有魅力的、更聪明的、更忠诚的，甚至有潜力成为更好的父母……总之，不论是在技能方面，还是性格方面，人们都容易不自觉地给自己戴上一层玫瑰色的滤镜。

这种夸大还体现在，人们的自我评价往往会高于旁观者对其的评价（Lewinsohn，Mischel，Chaplin & Barton，1980）。不仅如此，人们在被要求描述自己的优点时，也比描述缺点时更加详细和具体。

### 2. 对未来的不切实际的乐观

积极错觉还表现为一种稍显盲目的乐观。人们在展望未来时，倾向于高估自己经历积极事件的可能性（例如收获一份理想的职业或一段幸福美满的婚姻），并低估自己经历消极事件的可能性（例如患上重病；遭遇严重的事故）。

这种不现实的乐观，还体现在人们对完成一项任务所需的时间的评估。我们可能都有过这种体验：在实际操作一件事时，我们所耗费的时间通常都会远远超过我们一开始计划会用的时间（Buehler，Griffin & Ross，1994）。因此，有经验的计划者，会在一开始就给自己预留更多的任务完成时间。

### 3. 对控制感的错觉

积极错觉的第三层，是人们会高估自己的行为对他人、环境以及事件结果的影响力——我们往往高估了周遭一切的可控性。

研究发现，即使结果被设定为是完全随机的，大多数的被试依然会有一种"控制错觉"，即没有依据地相信自己的行为对结果造成了一定的影响（Alloy & Abramson，1988）。

事实上，对自我的积极错觉在大多数人身上都有体现，只是可能有形式和程度上的差异（Brown & Brown，n.d.）。

Owens等人（2007）的研究结果指出，我们能否以及会在多大程度上给自己"戴滤镜"，与基因有一定的关系，也与早年的成长环境有密不可分的关系。比起严苛、冷漠的成长环境，在更多善意和鼓励的环境下成长的孩子，更有可能对自己抱有一种稳定的积极错觉。

## 但适度的自我欺骗，或许并不是一件坏事

现在我们知道，很多人都对自己的优点、未来和掌控感都有着或轻或重的玫瑰色滤镜。如果你还在纠结"欺骗"这个词，接下来我会告诉你一些，适度"欺骗"自己的好处：

### 1. 对自我抱有积极错觉的人更有动力

若干研究结果发现，相比能够真实评估自己的人，那些对自己能力的评估高于自己实际水平的人，在完成任务时更努力，更有恒心，也取得了更好的表现。并且，他们想要做好一件事的动机往往是更强的（Bandura，1989；Dweck & Leggett，1988；Schaufeli，1988）。

"人们对自我能力的评价总是倾向于高估，但这是一个优点，而不是需要纠正的认知错误。若是人们总能如实评估自己的

能力，那么他们将很少遭遇失败，但也不会付出额外的努力，去超越平常的表现。"（Bandura，1989）

研究者们认为，这是因为给自己加了滤镜的人对成功的期待也更高——他们更相信自己能做好。而这种对成功的高期望，使得他们愿意投入更多精力在这项任务上，并为之坚持更久。

**2. 对自我抱有积极错觉的人，在遭遇创伤时表现出了更强的修复力（resilience）**

积极错觉对于帮助人们度过人生中那些巨大的压力事件和创伤，也起着正面的作用。在针对乳腺癌患者（Taylor，1983）和"9·11"恐怖袭击的幸存者（Bonanno，Rennicke & Dekel，2005）的研究中，积极错觉都是一个影响人们如何应对创伤以及需要多久走出创伤的重要因素。

有积极错觉的人们认为自己能比别人更好地应对疾病或困境，他们还认为自己对病情或困境的控制力比实际情况要强。他们建构起来的对未来的乐观看法，在当时的条件下纵然是不切实际的，但却真的能成为一种支撑他们挺过最艰难时期的力量。

这些错觉一般是轻微的，对现实的歪曲也是适度的。但严格意义上，它们仍然是不真实的。

**3. 对自我抱有积极错觉的人有更高的幸福感**

Myers和Diener（1995）在他们对于幸福感的研究中，定义了幸福的人的三个特点：具有积极的自我观念；有很高的个人控制感；一般能积极地看待未来。这三点几乎与积极错觉的三个方面完全重合。

简而言之，幸福感高的个体的确表现出了对自我的积极错觉（Myers & Diener，1995）。

积极错觉与幸福感的联系，还体现在我们和重要他人的关系中。前面提到，积极错觉不仅是关于自我的，也可以是关于身边的人的。研究发现，比起准确看待对方的夫妻，对伴侣的看法比"伴侣的自我评价"更积极的夫妻，更能在两人的关系中感到幸福和满意（Murray，Holmes & Griffin，1996）。

### 4. 对自我的积极错觉也能影响他人对我们的印象

当我们对自己戴着玫瑰色滤镜时，这种理想化的自我认知也会影响我们的行为。同时，也正如文章开头中所说的情况一样，如果人们对自己的看法足够积极和坚定，也能够在一定程度上影响到身边人对他们的印象和评价（Paulhus，1998）。

### 5. 积极错觉可以在一定程度上缓解人们的存在恐惧

人类学家贝克尔曾说，"看到这个世界真实的一面是件可怕和悲惨的事"。

在他看来，积极错觉能在一定程度上减轻几乎人人都会有的、对存在和死亡的恐惧。在贝克尔的观点里，对自己品德、力量和价值的夸大使生命显得充满意义，并获得一种"永恒感"。对于贝克尔而言，"生命与错觉共存"。

有人会完全不受积极错觉的影响吗？

有的。

在与积极错觉有关的研究中，有一类人被反复证实是几乎不受到积极错觉的影响，他们是抑郁症患者。对这个结果的一种解释是，抑郁损害了人们自我夸大错觉。

抑郁个体拥有更准确的自我认知。Mischel（1979）创造了一个术语来指代这种可能性：抑郁的现实主义（Depressive realism）。

也就是说，心理健康的人，反而不如抑郁症患者看到的世界那么真实。而看到真实世界的抑郁症患者，却并不快乐。

不过，尽管轻度抑郁或焦虑的个体能够以相对客观的、既不积极也不消极的视角看待自己，严重抑郁的个体却并非如此——他们会以另一个极端的、不切实际的消极目光来看待自己（Ruehlman，West & Pasahow，1985）。

由此看来，适度地给自己加一些滤镜似乎是一件积极的事。但，积极错觉也可能带来负面后果：

情况一：当人们过度夸大自己的优点时

过分自负和对自我优点的无限夸大，是自恋型人格障碍的重要特征之一。研究者认为，适度的自恋是健康人格的一个要素，而过分的自恋则不是（Raskin，Novacek & Hogan，1991）。

不仅如此，在自恋量表上得分极高的人，一般也会得到来自他人的负面评价——他们在人际中是明显不受待见的（Raskin & Terry，1988）。

情况二：当人们过于高估自己的控制力时

如果人们过分夸大了自己对周遭的控制力，那么他们可能会表现出一种不适宜的坚持。坚持通常被看作是一种好的特质，但明白什么时候应该放弃也是极为重要的。

那些对自我的控制力抱有太过不切实际的幻想的人，可能容易陷入一种徒劳无益的坚持。他们会不懈地追求不可能实现的目标，并为此白白耗费自己的时间和精力。

## 那么，该如何科学地给自己加滤镜呢

大家面临的第一个问题可能是，那到底什么样的滤镜、何种程度的错觉才是"适度"的呢？

Taylor和Brown（1994）指出，适度的积极错觉主要表现在，它是被环境所允许的。因此，保持积极错觉绝不是活在自己的世界里，洗脑式地告诉自己"我很棒"，而是也要关注外界的声音。如果，你的自我概念频频受到来自外界的挑战，可能说明你的玫瑰色滤镜太厚了。

当然，从另一方面来说，如果你对自己过于负面的评价也时常受到挑战——比如你总觉得自己的演讲技巧一塌糊涂，但其实每次都做得不错；或是身边人老是对你说"你明明就很好，哪有你说的那么糟糕"，那么你或许也应该反思，你对自己的黑色滤镜是不是太厚了。

如果你不知道如何开始建立对自己的积极错觉，可以试试"自夸日记"。在每一天的末尾，记录下今天自己做的、值得夸赞的1~3件事，并在事件后面附上一句夸奖自己的话。记住，再小的事情也值得被记录，也记住此刻没有人在注视你、评价你，所以请大胆地对自己说出夸奖的话。

例如：

"今天鼓起勇气向领导提了意见"——我真是个勇敢的人。

"今天自己做的便当很美味"——我做饭可真好吃。

"今天回答了一个特别难的问题"——我怎么这么聪明呀。

除了自己对自己的夸奖以外，你也可以养成一个随时记录别人对自己的夸奖和肯定的习惯，即使是一句简单的"你今天头发很好看"。你可以将它们记在一个方便的地方，比如手机的备忘录里，再在一天结束时把它们整理进你的"自夸日记"。

在记录这些小事时，你会发现你有很多被自己忽略了的优点，即使再微小，它们也至少值得被你自己看到。时常回顾这些话，尤其是在怀疑自己时，你会发觉你比自己想象中更加可爱——咦，好像有一点点自恋，但那又有什么关系呢。

另外，研究还发现，自我欺骗分为两种：夸大性自我欺骗（个体将积极特征归到自己身上，放大自己的积极特征）和否认性自我欺骗（个体不切实际地否认自己有消极特征），而只有前者是心理健康的一个要素。也就是说，否认自己的问题是不会让我们更快乐的。

因此，我们鼓励大家对自己保持一定的积极错觉，一定不是建立在刻意否认自身问题的基础上的。在大力肯定、适当放大自己闪光点的同时，你也需要面对自己的缺点，只是在面对时，可以抱着一种"我在可预期的未来里一定可以改善它"的、带着积极错觉色彩的信心。

如果你觉得不够快乐，不妨试试给自己、给生活加上一层薄薄的滤镜。如果不喜欢"自我欺骗"这四个字，也可以将这层滤镜命名为"幸福的错觉"。

# References

Alloy, L. B., Abramson, L. Y., Metalsky, G. I., & Hartlage, S. (1988). The hopelessness theory of depression: Attributional aspects. British Journal of Clinical Psychology, 27(1), 5-21.

Bandura, A. (1989). Human agency in social cognitive theory. American psychologist, 44(9), 1175.

Bonanno, G. A., Rennicke, C., & Dekel, S. (2005). Self-enhancement among high-exposure survivors of the September 11th terrorist attack: Resilience or social maladjustment?. Journal of personality and social psychology, 88(6), 984.

Buehler, R., Griffin, D., & Ross, M. (1994). Exploring the " planning fallacy" : Why people underestimate their task completion times. Journal of personality and social psychology, 67(3), 366.

Dweck, C. S., & Leggett, E. L. (1988). A social-cognitive approach to motivation and personality. Psychological review, 95(2), 256.

Lewinsohn, P. M., Mischel, W., Chaplin, W., & Barton, R. (1980). Social competence and depression: The role of illusory self-perceptions. Journal of abnormal psychology, 89(2), 203.

Murray, S. L., Holmes, J. G., & Griffin, D. W. (1996). The benefits of positive illusions: Idealization and the construction of satisfaction in close relationships. Journal of personality and social psychology, 70(1), 79.

Myers, D. G., & Diener, E. (1995). Who is happy?. Psychological science, 6(1), 10-19.

Owens, J. S., Goldfine, M. E., Evangelista, N. M., Hoza, B., & Kaiser, N. M. (2007). A critical review of self-perceptions and the positive illusory bias in children with ADHD. Clinical child and family psychology review, 10(4), 335-351.

Paulhus, D. L. (1998). Interpersonal and intrapsychic adaptiveness of trait self-enhancement: A mixed blessing?. Journal of personality and social psychology, 74(5), 1197.

Raskin, R., Novacek, J., & Hogan, R. (1991). Narcissistic self-esteem management. Journal of Personality and Social Psychology, 60(6), 911.

Raskin, R., & Terry, H. (1988). A principal-components analysis of the Narcissistic Personality Inventory and further evidence of its construct validity. Journal of personality and social psychology, 54(5), 890.

Ruehlman, L. S., West, S. G., & Pasahow, R. J. (1985). Depression and evaluative schemata. Journal of Personality, 53(1), 46-92.

Schaufeli, W. B. (1988). Perceiving the causes of unemployment: An evaluation of the Causal Dimensions Scale in a real-life situation. Journal of Personality and Social Psychology, 54(2), 347.

Taylor, S. E. (1983). Adjustment to threatening events: A theory of cognitive adaptation. American psychologist, 38(11), 1161.

Taylor, S. E., & Brown, J. D. (1988). Illusion and well-being: a social psychological perspective on mental health. Psychological bulletin, 103(2), 193.

Taylor, S. E., & Brown, J. D. (1994). Positive illusions and well-being revisited: separating fact from fiction.

# Chapter 3

# 自 我 成 长

为什么说原生家庭不是决定你的唯一因素

# 每个人都有天生的精神胚胎

我们的人格究竟是如何形成的?

弗洛姆在《逃避自由》一书中曾经提到过,"人,并非是一个纯粹由生物因素决定的、由原始冲动欲望堆砌的一成不变的个体,也并非绝对由文化环境所操纵的木偶。"我们人格的形成,是由先天与后天因素共同作用的结果。

我们今天想聊的重点是,一些先天的因素对我们人格的影响被低估了;同时,我们还没有形成记忆时的人生最早期的关系和环境所带来的影响,也往往会被我们忽略。

我们首先来了解一下什么是心理学意义上的"人格"。

## 人格是一种建立在生物基础上的心理趋势

人格,指的是人们在不断成长的过程中,逐渐显现的自身在思想、价值观、社会关系、行为模式、情感体验等各个方面的大体趋势(tendencies)(McAdams & Olson, 2010),以及在这些方面上与其他个体之间的差异（Kazdin，2000）。

众多研究者认为，人格是一种建立在生物基础上的心理趋势（McCrae & Costa，1999；Jarrett，2016），先天因素在人格形成过程中其实扮演了相当重要的角色。而当越来越多的人开始讨论早期成长环境等后天因素对于人格的塑造时，先天因素的重要先决意义很多时候被轻视了（Erikson，1950；Freud，1963；McCrae & Costa，1994）。

## 人格形成的基础：你可能忽略了自己的"精神胚胎"

气质性格（Temperament，也有称作dispositional traits），也就是所谓的"秉性"，是那些在我们仅出生几天的时候，就已经表现出来的"脾气性格"（Jarrett，2016），它被看作是奠定了人格的最基本的趋势特征（McCrae，et al.，2000）。

我们所熟知的，责任心、宜人性、外向性、开放性及情绪稳定性，即"大五人格"，就是最常被用以描述人格的基本趋势的五个维度（McCrae，et al.，2000）。

剑桥大学心理学家Brian Little在研究中发现，当人们在新生儿的床边制造出一些声响的时候，有些新生儿会自然地转向发出声音的地方，而另一些新生儿的反应则相反，他们会（默默地）转开（Little，as cited in，Dahl，2014）。不仅如此，他还发现那些会转向声源的新生儿，更有可能在之后成长为外向的人，而相对地，另一些新生儿则更可能成长为内向的人。

可以说，在每个人的身上似乎都存在着这样一种与生俱来的"精神胚胎"，它在生命的最初，表现为气质性格，影响着人们对于外部刺激的反应，也在之后的成长过程中成为个体人格特质的基础内核。

心理学教授Dan McAdams曾在一次访谈中形象地描绘道，"一个人的人格，就像是被人们的种种人生故事包覆着的气质性格。"（as cited in, Friedersdorf, 2016）

*为什么说人格中存在着"精神胚胎"呢？

除了上述对婴儿及个体成长的直接观察外，众多心理学、生物学及遗传学的研究也都佐证了这种"精神胚胎"似的人格基础的存在。

**1. 某些人格特质与生物性特征存在直接相关**

Roberts与Jackson（2008）通过功能性磁共振成像（fMRI）发现了特定人格特质与基因的相关性。例如，拥有5—HTT这种基因序列的人更具有攻击性，而糖皮质激素受体更活跃的人，天生抗压力更好。

另外，哈佛大学教授Jerome Kagan也发现，人的一些生理特征与人格存在相关。如更容易感染、皮质醇（又称"压力荷尔蒙"）水平更高、心率更高的人，更自我压抑，更容易烦躁和感到焦虑（as cited in, Gallagher, 1994）。

这些基因与生理特征，在人们还是母体中的一个胚胎的时候，就是已经被决定下来的生物性特征；因而，与这些特征相关的人格特质，便很有可能也是在胚胎中就被孕育了的精神特征。

### 2. 某些人格特质并不随着年龄的增长而变得不同

Blatny、Jelinek和Osecka（2007）为此做了一项跨越40年的纵向研究，被试在最初参与研究时，还仅是几个月大的婴孩，到研究结束时，他们都已年过不惑。研究者们从中发现，在婴儿时期就表现得更不内敛，整体活跃度与敏感度都更高的人，在成年之后也更可能在"外向性"上得分更高，即更可能成为外向的人。

也就是说，尽管在几十年间，这些人经历了生活、学习、工作的许许多多的变化，但他们在出生后不久所表现出来的气质性格，仍然与他们在不惑之年所展现的人格特质存在着一致性。

### 3. 某些人格特质也并不因为后天环境的改变而改变

明尼苏达大学的Bouchard、Lykken与McGue（1990）以及Lykken与Tellegen（1996）的两项同卵双生子的纵向研究都发现，尽管这些双胞胎在出生后不久便被不同的家庭抚养长大，他们成年后的人格特征仍然保持着很高的相似性（以明尼苏达多项人格测验，测量双胞胎各自的人格特质得到该相关性），并且他们之间的相似性并不比那些在同一个家庭中长大的双胞胎更低。

不仅如此，Plomin等人（as cited in, McCrae, et al., 2000）对被领养的孩子与领养家庭的研究也发现，那些被领养的孩子在人格特质上，既不像他们的养父母，也不像他们养父母家中的其他子女。

天生胚胎中的联结，并不会因为成长环境的改变而被彻底割裂；双生子之间天生的相似性，尤其在人格上的相似性，并不会因为成长环境的不同而变得截然不同。

*我们的精神胚胎究竟是什么？

### 1. 精神胚胎决定了人格特质的整体与相对趋势

Caspi、Robert与Shiner（2005）提出了人格发展的"成熟定律"，即每个人随着年龄的增长，总体上都会变得更宜人、更有责任心、更情绪稳定、更外向等。这种人格总体趋势上的成熟取决于个体生理上的成熟。但同时，这种成熟，建立在同一个个体的过去和现在的比较之上。

也就是说，精神胚胎决定了每个人人格特质的总体趋势和相对位置。

例如，一个人责任心水平低于平均值的人，随着年龄的增长，会变得比过去的自己更加有责任心，不过，当TA在与群体中的其他人相比时，仍然是那个相对缺乏责任心的人（因为其他人也会随着年龄的增长而比过去的他们更有责任心）。

尽管人们大体上总是在比过去的自己变得更加成熟、更宜人、更有责任心等，但Caspi等人认为，这种成熟的变化是有限的，个体的人格并不会随着年龄的不断增长而无限度地发展变化。

他们以"设定点"来比喻人格的这种"有限"发展，即不论人们的人格如何成熟或变化，最终总是在这个"设定点"所在的一定范围内波动。例如，一个容易在社交场合感到紧张的人，即使随着年龄的增长、经历的丰富以及反复的努力，自己能够在最大程度上减低紧张感，却也很难彻底转变成为一个乐于交际的人。

2. 同时，我们很少想到，我们的精神胚胎也影响着我们所成长的环境，从而进一步影响人格的形成

在大量文章都在强调教养方式对孩子的性格产生影响的时候，人们常常忽视一个事实：孩子天生的脾气性格会对家长的教养方式造成影响。McCrae等人（2000）认为，有些父母之所以对他们的孩子表现出更多的宠溺，很有可能是因为这些孩子天生的"宜人性"较高，更常表现出可爱的一面（俗话说，会哭的孩子有糖吃……）。

另外，人们也会自觉或不自觉地选择、主动寻找与自己个性更契合的环境，就这样人们的天性又在自己所选择的环境中被不断强化（Caspi, et al., 2005）。比如，一个成就取向的人，觉得大城市能给自己提供更多学习的机会和发展的空间，于是决定在大城市里奋斗，与此同时，Ta对于成就的渴望也在大城市里不断被回应和加强。

哈佛大学教授Kagan也曾感叹道，"先天因素对于人格形成的影响，超出了我们所能想象和所愿意相信的程度。"（as citedin, Gallagher, 1994）

**在记忆形成之前，最初的环境影响了精神胚胎的发育**

人格形成的后天因素，主要指的就是成长环境与经历，而这其中，家庭，是人们最初的社会化场所、最主要的成长环境。

这些环境对我们的影响早在我们的记忆产生之前就开始了。我们有时候无法理解自己性格中的某些部分，和人生最初的记忆的缺失是有关的。你可能并不知道，自己在襁褓中的环境是什么样的。

### 1. 人生最初的亲子关系

亲子关系是人们最初的社会关系，影响着个体日后的人际交往。尤其是在生命的初期，生理需求能否及时得到满足，影响着个体对于外在世界与他人的信任感以及安全感的判断。当父母能够及时回应孩子的需求时，孩子更有可能认为外在世界是安全的，TA长大之后也更容易表现得不拘谨，善于与他人交往（Ainsworth，1978）。

另外，Mahler等人（1975）认为，婴儿会从最初时期与母亲的"共生"（symbiotic）关系中（由于婴儿的生理需求与有限的认知能力，觉得TA与母亲之间最初就像是一个生物性的整体）逐渐分离独立出来。但若在"共生"期，母亲的爱过于有侵犯性或让孩子感到"喘不过气"时，TA便会比其他孩子更早地和母亲保持距离。而TA也更有可能在成年之后，对他人的亲近感到不适甚至抗拒。

尽管大多数幼年的记忆早已被我们遗忘，但这些关于爱与安全的感受早就固着在已有的精神胚胎之上，影响着我们之后的人际关系，包括亲密关系（Hayasaki，2016）。

### 2. 人生最早期的家庭教养

父母在家庭中养育、保护、照顾孩子的同时，也教育他们如何行走和说话，培养他们形成自己对世间的好恶、价值态度，为他们提供社会交往、情绪管理等一系列社会化行为的模型（McCrae & Costa, 1994）。而我们很多时候思考家庭对自己的影响时，都并不了解在生命的最初，你父母对你的教养是什么样的——它对我们的塑造，在懂事之前就存在了。

从社会学习的角度来看，一方面，人们通过观察学习来模仿父母的表情、姿势、发音，到说话、走路，再到后来的为人处世、价值判断等等，这个过程塑造了孩子的人格特质。另一方面，通过行为强化，即奖赏与惩罚，人们也能直接习得行为的模式。例如，不谙世事的婴儿，也会因为发现自己的笑可以得到母亲更多的关注（奖赏），而更经常开怀大笑（Thompson, 2008），这便使他们更有可能在长大后成为"宜人性"更高的人。

Anna Freud（弗洛伊德的女儿）在"儿童发展"理论（Developmental Line）中提到了人生最早期的家庭教养对我们人格的影响（Freud, 1963）：

例如，进入肛欲期（analstage, 1—3岁）的幼儿，原始冲动的满足主要依靠大小便的排泄得以满足。若此时，家长对于孩子排泄训练失败，如过早地强迫孩子保持自身的洁净，就有可能激发孩子通过自我防御来捍卫自己自由排泄的权利，孩子也会因此更有可能形成所谓的"肛欲性格"，即个性上更为顽固、吝啬和冷酷。

相反，如果家长对孩子逐步地进行排泄训练，则能够帮助

TA更好地接受家长和"社会"对于个人清洁的要求。他们得以逐步将这种标准整合到自己的超我（即道德感）之中，对自己日后的行为进行自觉的约束。而个体守时、责任心等宝贵的人格特质也会在此过程中逐渐形成。

当然，无论哪个生命阶段，包括婴儿期，个体成长过程中所遭受到的创伤经历（如被某一方父母遗弃，目睹剧烈的家庭斗争等），都会对人格造成影响，即便个体甚至可能没有意识到那些经历是存在的（没有记忆）。并且，这种影响是有生理基础的。Bremner（1998）的研究发现，创伤性事件所带来的巨大压力可能导致大脑中的海马体（hippocampus）发生萎缩，而这又会对人们的情绪稳定性造成影响。

## 我们仍然可以是自身人格的塑造者

看到这里，你也许会质疑我们为什么要写这样一篇文章。如果我们的人格很大一部分由先天的精神胚胎决定，又受到生命最初环境的影响（即便那时候我们对环境还没有太多的控制力），同时我们的精神胚胎还影响着我们会在成长过程中进入什么样的环境（例如，天生宜人性高的孩子更不容易被父母严厉地处罚，天生竞争性强的孩子会选择不断进入更有挑战性的学校等）。

这样的事实是不是太悲观了？我们是不是会对"自己会成为什么样的人"缺乏足够的掌控力？

事实并非如此。其实，意识到这些事实，恰恰对我们更好地掌控自己的人格成长有好处。

每个人都有一个精神胚胎，它决定了你的一个基本气质，和你未来可能发展变化的范围（复习：一个天然内向的人，可能会通过成长变得比自己更外向，却不太可能比天生外向的人更外向）。这意味着我们不需要对自己有过高的、不切实际的期待和要求。你一定有天然的极限，但同时也会有天生的优势。你接受最本真、最核心的你自己，同时在一个合理、现实的范围内努力成长、进步。这会是一个让你更少自我苛责、更少焦虑的状态。

你的精神胚胎一定程度上也影响着你会选择什么样的环境，意识到这一点，能帮我们避免自己变成一味埋怨外界和他人的人，并且对自己的环境保有更多的警醒。同时，如果你的环境持续地不如人意，你需要看看自己的人格特点是否也对此产生了影响（你是否选择了进入和留在这样的环境里）。

而如果你希望了解更多不被自己理解的性格特点，可以考虑去了解自己生命最初的经历，也许会有一些不一样的启发。

牛津大学的Brian Little认为，人们并非基因或环境的受害者，即使在人格形成之后，人们依然可以自由地选择成为一个怎样的人（as cited in，Dahl，2014）。他指出，"每个人都至少有三个自我（three selves）：一个是由基因决定的自我，一个是在环境与文化影响下的自我，还有一个是由我们自己所追求的人生目标与价值所定义的自我。而最后这一个，才是最重要的、完全属于自己的自我。"

# References

Baer, D. (2016). Your personality starts showing up during infancy. Science of Us.

Blatny, M., Jelinek, M., & Osecka, T. (2007). Assertive toddler, self-efficacious adult: Child temperament predicts personality over forty years. Personality and Individual Differences, 43, 2127-2136.

Bouchard Jr., T.J., Lykken, D.T., McGue, M., Segal, N.L., & Tellegen, A. (1990). Sources of human psychological differences: The Minnesota study of twins reared apart. Science, 250(4978), 223-228.

Caspi, A., Roberts, B.W., & Shiner, R.L. (2005). Personality development: Stability and Change. Annual Review of Psychology, 56, 453-476.

Costa, P. T., Jr., & McCrae, R. R. (1994). Stability and change in personality from adolescence through adulthood. In C. F. Halverson, G. A. Kohnstamm, & R. P. Martin (Eds.), The developing structure of temperament and personality from infancy to adulthood (pp. 139-150). Hillsdale, NJ: Erlbaum.

Dahl, M. (2014). How much can you really change after you turn 30? Science of Us.

Erikson, E. H. (1950b), Growth and Crisis of the "Healthy Personality." In: Personality in Nature, Society, and Culture, 2nd Ed., ed. C. Kluckholn & H. A. Murray. New York: Knopf, 1948, pp. 176-203.

Freud, A. (1963) The Concept of Developmental Lines. Psychoanal. St. Child, 18: 245-265. New York: International Universities Press.

Friedersdorf, C. (2016). Do humans inherit or create their personalities? The Atlantic.

Gallagher, W. (1994). How we become what we are.

Hayasaki, E. (2016). Traces of times lost. The Atlantic.

Jarrett, C. (2016). Personality appeared before you could talk. BBC.

Kazdin, A.E. (2000). Encyclopedia of Psychology. American Psychological Association.

Lykken, D. & Tellegen, A. (1996). Happiness is a stochastic phenomenon. Psychological Science, 7(3), 186-189.

Mahler, M. S., Pine, F., & Bergman, A. (1975), The Psychological Birth of the Human Infant: Symbiosis and Individuation. New York: Basic Books.

McCrae, R.R. et al. (2000). Nature over nurture: Temperament, personality, and life span development. Journal of Personality and Social Psychology, 78(1), 173-186.

Thompson, R.A. (2008). The psychologist in the baby. Zero to Three.

埃里希·弗洛姆（2015），《逃避自由》（刘林海译），上海译文出版社。

还不了解自己，却已经要做出人生的选择

## 了解自己的四种状态，你是哪种？

我们曾说过，18—25岁，成年初显期，可能是人一生中最困难的阶段。空虚、迷茫又焦虑，可以说是这个年龄段的人最普遍的感受了。

其实，这与年轻人还没有真正地"找到自己"有关——不知道自己是谁，不知道未来在哪，不知道如何平衡"做自己"与"守规矩"。或者说，他们尚未完成一个重要的人生发展任务：自我认同。

### 找到自己，是每个人都要完成的人生任务

自我认同，或者说自我同一性的建立，在著名心理学家埃里克森（1968）的理论中被认为是非常重要的人生任务。

当一个人形成了一种"自我认同"，也就意味着TA对于自己是一个怎样的人、将要去向何方、自己与社会的关系，有了一种相对稳定且连续的认知（Shaffer & Kipp，2013），比如，TA

会更清晰地知道自己的底线与价值观，喜欢和什么样的人交朋友，选择什么作为自己奋斗的事业，如何平衡社会期待与自身意愿，等等。

可以说，自我认同的形成，是人们做出很多重要人生选择的基础（Erikson，1950）。与此同时，人们也正是在不同的尝试和选择的过程中，才逐渐地认识自己，获得一种自我认同。

在埃里克森看来，自我认同的形成，并不是一种简单经验的"累加"，而是"整合"。在结识了不同的朋友，尝试了各种类型的事情之后，我们的内心会更加清楚自己在交友、规划未来、寻找人生意义的时候，背后那些一以贯之的信念和价值是什么，那些在我们看来可以定义我们、对我们来说非常重要的东西，到底是什么。

不过，这个尝试、探索与整合的过程，有可能会带人们进入一个充满危机的局面，有些人穿过了这些危机，有些人却停留在了混乱之中。

## "找自己"可能有四种状态，你处在其中的哪一种

Marcia（1966）把处在这个过程中的人们，根据"探索"与"承诺"两个维度划分成了四种不同的状态。

### 1. 早闭

处在这种状态中的人，通常已经"获得"了一种自我认同；不过，这种认同感并非基于自身的探索和尝试，而是基于他

人，尤其是父母。比如，他们认为"因为我父母是老师，所以我也应该当老师"。对于这类人而言，他们在寻找自己的过程中，几乎未曾经历过"危机"（低探索），就确立了对自己的认知以及对未来的规划（高承诺）。

他们最大的特点，便是对权威的服从和尊敬。虽然他们看似对于自己想追求的事情十分坚定，但他们的这份坚定又是十分脆弱的。一旦可能面临失败或者他人（尤其是权威）的负面评价，他们很容易就会陷入自我怀疑和自我否定。他们对自己的认知，或者努力的方向，几乎从来就不是从自身出发的。

### 2. 混乱

他们可以说是"并不在寻找自己的过程中"，他们既不了解自己，不确定未来的发展（低承诺），也并不太关心这类问题（低探索）。他们很容易就会抛弃自己曾经做过的决定，也总是处在一种"走一步看一步"的状态之中，甚至会接受一些与过去的决定截然相反的机会。

尽管可能在外人看来，这类人处在一种"混沌不清"的状态里，但他们自身很有可能并不觉得有什么异样。虽然有一些处于混乱之中的人可能会在面临升学或就业等人生转折的时候无法适应，但也有一些处在混乱的人是能够妥善地应对这些变化的。

### 3. 延缓

处在"延缓"状态中的人，便是那些正在努力探索自我，寻找自我（高探索），但还没有得到答案的人（低承诺）。比如，他们可能正在思考：大家都想去离钱近的金融行业，我应该随大流吗？如果不，那么我又想做些什么呢？

他们因此往往也是最能在主观上感受到自己处在危机之中的人，而迷茫与焦虑也是处在这个状态中的人最常有的感受。Marcia（1966）认为，延缓，可能是四种状态中最令人挣扎与煎熬的，不过，相比前两种状态，他们却也是最有可能在经历过探索之后，到达第四种状态的——自我认同达成。

### 4.达成

Marcia（1966）认为，形成自我认同的人，都经历过探索给自己带来的危机（高探索）。他们在穿越危机之后，最终获得了对自己更清晰的认知，对某些特定的人生目标、信仰、价值观做出了"承诺"（高承诺）——基于对自己的了解认定了自己努力的方向。

于是，他们在接下来面对人生的机遇与挑战时，也更能够依据本心做出抉择，在面对坎坷与阻碍时，他们也不至于瞬间心灰意冷，全盘否定自己的努力和方向。Marcia（1966）指出，形成自我认同的人，是所有四种状态的人中最少听信权威的，他们也更少受到外界负面评价的威胁和动摇。

在埃里克森的理论中，人们应该在12—18岁的青少年时期，去完成这样一种认识自己、找到自己的人生任务，获得自我认同。不过在现实中，这个重要任务，似乎被"推迟"了。

对于我们这些经历过或者正在经历成年初显期（18—25岁）的人，或许都有这样的体会：在上了大学之后，我们似乎才开始意识到要去认识自己、探索自我。而整个成年初显期，我们似乎都处在这样一种危机与探索之中，还未找到自己，倍感焦虑与迷茫。

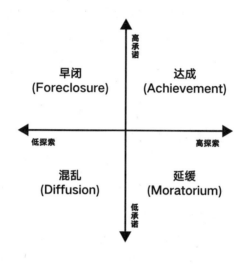

## 为什么人们迟迟没能"找到自己"呢

这也与现有的教育方式不无关系。12—18岁的青少年本应该在这个现实压力更少的阶段，有更多的机会参与到与未来发展、宗教信仰、亲密关系等有关的各种探索活动中去寻找自我。但现实情况却是，这个过程往往被现今的制度化教育所挤占（Marcia，1966），孩子们都在一味地求学，即便参与了很多课外活动，却也仍是以升学为目的。

不过，心理学家们在多年的研究中发现，人们要找到自己、形成自我认同，可能实际就要比埃里克森所预计的要晚一些。在Marcia的研究中，她发现，仅有20%的人在18岁时就形成了自我认同，大多数人（70%）要在24岁以后，才能获得一种比较稳定的自我认知，找到未来的方向（as cited in，Shaffer & Kipp，2013）。

也就是说，这一现象其实也并非是当代中国年轻人所独有的。自我认同这一人生任务的达成，本就比预计所需要的时间更长。

另外，这也和每个个体所受到的家庭教养有关。我们会发现身边的一些人的确会比其他人更早地"找到自己"，对自己未来的发展较早地有了清晰的规划。心理学家们发现，那些与父母相互尊重，有稳固感情基础，同时父母能给予他们更宽松的个人空间的孩子，更有可能随着自我探索而获得自我认同。

但那些总是被父母忽略或拒绝的孩子，既很难从父母身上模仿或学习认识自己，也很难做出寻找自我的尝试（可能会被视为挑战或叛逆）。而那些与父母关系过于亲密，完全由父母掌控自己人生的孩子，则从不敢挑战父母权威，也不愿脱离父母形成"自我认同"，他们完全依附于父母的决定。

这两类孩子都很可能在"找到自己"这条路上受挫，前者容易陷入一种"混乱"的状态，而后者则更可能陷入"早闭"。

另外，"找到自己，获得自我认同"这个任务，很可能是持续终生的。

就像Marcia（1964）所说，这可能是发展阶段理论常常会给人带来的错觉。人们会觉得一个阶段的危机解除，任务达成，便可以一劳永逸了。但事实却并非如此，尤其在自我认同这件事情上，即便人们在某个阶段获得了一个相对稳定的对自我的认知，这也并不意味着从此不再改变。

很多成年人会在获得自我认同的多年以后仍然被这个问题所困扰，重新提出"我是一个什么样的人"这样的问题（Kroger，2005）。这通常会发生在当原有认知和新环境发生冲突，或者环境提供了新的可能性的时候，可能是一些重要的人生转折，比如就业、结婚、生子，也可能是在面临一些机遇的时候。

比如，一个人在工作中有机会去实现自己的一些理想，但同时也会有需要为金钱妥协的时刻，此时，TA有可能会重新陷入"我是谁"的考问，意识到自己曾经对于金钱和理想或许看得过分二元对立了，认识到自己也并不是一个视钱财如粪土的人。

## 那么，怎样才能找到自己

正如前文所说，自我认同，是人们在不断地探索与选择的过程中逐渐获得的（Marcia，1964），我们会在这个过程中更加清楚：我是什么样的人？作为男性或者女性，什么样的关系是我想要的？我认为男女应该如何分工？什么样的职业是我想要的？我信奉怎样的价值观与世界观？

有些时候我们会以为，找工作或者找对象的尝试，是一个

"展现"自我认同的过程——我找的工作/对象反映了我是一个怎样的人、我的喜好、我的价值。

但其实，在我们还在寻找自己的阶段，尤其对于成年初显期的人而言，去做出尝试或选择，更会是一个"获得"自我认同的过程——无论喜欢或不喜欢，在每一次做出尝试/选择的时候，我们都会离了解自己更进一步。

所以，不要因为害怕暴露自己而停止尝试，不敢选择；而要把这些尝试和选择都当作了解自己的途径，这样你也会更有勇气去探索。

另外，我们也要学会去与一些重要的他人"分化"（differentiation）。正如前文所说，有时候，我们看不清自己，或许和我们与身边的人过分亲密、过度依赖与干涉有关。

因此，想要看清真正属于自己的情绪、认知、行为举止，我们需要努力去辨别在一些情境中，哪些是他人的要求，哪些才是我的感受；哪些是他人的期许，哪些是自我的选择。在这些时刻，不妨试着在内心向自己提出这些问题，做出一些思考。

最后，你可以跟着我们做这样一个基于想象的叙事练习：想象二十年后你理想中的一天的生活是什么样子？

你的生活充满规律吗？还是仍有很多不规律、新鲜又有挑战的事情？你结婚了吗？你定居在哪里？你有孩子吗？你的经济条件是什么样子？日常生活中使用哪些物品和服务？你有很多新认识的朋友，还是只和一个小圈子一直保持着深厚的友谊？

你对于这一天生活的想象越深入、越细节，越能帮你了解，你究竟渴望什么样的生活，你在生活各个方面的价值取向和偏好是什么样的。而这种了解，反过来又能帮你重新做出眼下的种种选择。

在我们寻找自己的路上，或许是没有终点的。所以，你不必因为自己错过了青春期，又或者错过了成年初显期而感到惶恐，也不必为了希望快一点抵达而焦虑不安。人生很长，你不用急，也不用慌。

Take your time and be patient. Life itself will eventually answer all those questions it once raised for you.（慢慢来，不要急，生活给你出了难题，可也终有一天会给出答案。）

## References

Erickson. E.H. (1950). Childhood and Society. New York: Norton.

Erickson. E.H. (1968). Identity: Youth and crisis. New York: Norton.

Kroger, J. (2007). Identity Development: Adolescence through adulthood (2nd ed.). SAGE Publications, Inc.

Marcia, H.E. (1964). Determination and construct validity of ego identity status. Dissertations, The Ohio State University.

Marcia, H.E. (1966). Development and validation of ego identity status. Journal of Personality and Social Psychology. 3(5), 551-558.

Shaffer, D.R. & Kipp, K. (2013). Developmental Psychology: Childhood and Adolescence (9th ed.). Cengage Learning.

你为何没有足够的安宁感

## 浅谈客体恒常性

**客体恒常性，影响着人们存在于世的稳定、信任与安全感**

安全，是一种与信任密切相关的情绪状态。人们相信外在的世界不会给自己无法控制的伤害，就产生了这种感情。

有些人的这种信念较强，他们便会表现出较为放松和笃定的状态，而有些人对此信念不足，就会需要时时刻刻向外界寻找和确认"安全"。这种心态和行为的影响因素很多，其中很重要的，是心理学中的"客体恒常性"（object constancy）。

什么是客体恒常性？

为了理解这个概念，我们先来理解一下什么是"客体"。客体（object）与主体相对。主体是"我们"的第一人称感，而客体则是我们作为"主体"所指向的对象。"客体恒常性"顾名思义，指的是我们与"客体"能够保持一种"恒定的常态"（constancy）的关系。

客体分为外部客体和内在客体两种。外部客体是我们体外客观世界里的东西，内在客体则是我们内心里形成的、对应那些外部客体的图像。

拥有客体恒常性，意味着人们有能力保留（自身以外的）客体在心中映射出的稳定图像（Fraiberg，1969）。此时，我们内心拥有的，是"稳定的内在客体"。

内在客体的稳定包括两层意义：

1. 情绪上的稳定：指的是，当我们与外在客体在空间上远离的时候，心中仍旧可以保持这些客体的形象，同时仍能够通过内在客体，感受到自身与客体保持着一种稳定的亲密情感（Fraiberg，1969）。"虽然TA和我有一段时间没有联系，我仍能感受到我们是相爱的"，就是一个例子。

2. 认知上的稳定：指的是，某个客体在我们心中的形象是一以贯之的、稳定的，我们不会因为TA（外在客体）一时无法满足我们的需求，就立刻推翻之前对对方的感受与评价（内在客体）（Mahler，Pine & Bergman，1975）。例如："虽然TA犯了个错误，但我依然觉得TA是个不错的人。"

总的来说，不管是情绪上还是认知上的客体恒常性，指向的都是一种，"能够在变迁的世界，与外在客体维持稳定关系"的能力（Burgner & Edgcumbe，1972），而这个能力也是情绪成熟的一个重要标志（Akhtar，1994）。

## 客体恒常性是如何形成的

在客体恒常性形成前，人们和抚养者关系的发展主要经历了三个阶段：自闭、共生、分离与个体化（Mahler，Pine & Bergman，1975）。

自闭阶段（0—2个月）指的是，在婴儿诞生的初期，孩子大部分时间都在睡眠中度过，处于一种自我封闭的状态中，还没有发展出自我或是抚养者的概念，对于客体没有觉知。

紧接着婴儿会进入共生阶段（2—6个月），他们开始有了自我的主体意识，开始模糊地察觉到自己对于抚养者的需要。但此时的婴儿觉得自己和抚养者是一体的，是同一个意识，婴儿认为自己的任何需求一定会即刻被抚养者满足。

在分离与个体化阶段（6—24个月），随着婴儿行动能力的提升，他们可以从抚养者身边爬开，探索更大的世界。婴儿慢慢意识到自己是自己，抚养者是抚养者，并开始成长为不需要时刻依附于抚养者的独立个体。

分离与个体化阶段是孩子形成客体恒常性的关键时期。在这个过程中，孩子一方面认识到，抚养者有时会无法及时回应自己的需求。但是没有关系，这不会带来毁灭性的结果，因为抚养者还是会在后来回应自己的需求——这让孩子学会安心等待，并能够接受在某一时刻和一定程度上的失望。

在内心形成关于抚养者稳定的图像，至关重要。只有分离，才有机会让孩子锻炼内心稳定图像的形成，而抚养者只有在整个过程中足够好地回应了孩子的需求，孩子才能产生对抚养者的信任。

最早的客体恒常性，就是在这个过程中开始形成的。可以说，我们在人生最初时期，对抚养者形成的信任，是我们对整个外在世界的信任的起点和基石。

## 为什么有人会缺乏客体恒常性

### 1.童年不愉快的分离体验

在分离与个体化阶段，抚养者不当的分离方式会阻碍孩子客体恒常性的发展。

错误一：完全不分离

有的抚养者时刻和孩子在一起，总是及时满足TA的需求，从来不让孩子感受到失望。如此不允许分离，孩子与客体的关系，将始终停滞于"与抚养者共生"的阶段（Mahler，Pine & Bergman，1975）。他们无法得到锻炼，逐步在抚养者不在身边时，在心中产生抚养者的影像，从而无法得到机会形成客体恒常性。

错误二：直接强制分离

分离对于孩子来说是一个复杂的体验。一方面他们因为探索世界而感到快乐，另一方面却因为离开赖以生存的抚养者感到焦虑、害怕（Mahler，Pine & Bergman，1975）。

所以，好的分离过程要求抚养者"在被需要时仍会出现"。这是一个分离的安全基础，孩子确信这点之后，才可以暂时搁置分离的焦虑，自己去体验世界（Mahler & Furer，1969）。

而在与孩子分离时约定与孩子重聚的时间，并且履行承诺，才能给予孩子安心等待抚养者回来的信心。在这样的信心中，孩子内心开始形成对于抚养者的稳定图像（Mahler，Pine & Bergman，1975）。

当孩子们能够等待，且自信地期待满足，他们开始形成安全感，且不因与抚养者的空间和时间距离而改变。

## 2. 成长过程中抚养者的回应忽冷忽热

孩童必须累积足够多的温暖经验，并且认为温暖是种生活的常态。这样，孩子才能不会因为小的分离或不快，就动摇自己内心稳定美好的、关于"客体"的图像。

也是因为美好的经验足够多，孩子会原谅抚养者的一些过失、对自己的伤害等。他们慢慢形成"理智上整合矛盾"的能力，他们经历一番内心斗争，开始接受"有瑕疵但足够好"的概念（Ainsworth & Bell，1970）。

## 3. 成年之后痛苦的分离体验

Mahler（1971）指出，客体恒常性的发展并不会在生命早期就完全结束。我们与客体的关系，会在之后的人生里不断发生改变。

长大后，我们会与更多的客体产生联结和感情，比如说，宠物、家乡、同学、恋人等。

但人们也可能被迫与他们依恋的客体突然分离。比如说，亲人逝世、恋人分手、宠物走失或是举家迁徙等等。人们对于外界世界的基本认知可能会被这些创伤所挑战（Tedeschi & Calhoun，2004）。也就是说，如果长大后与客体有意料之外的创伤经历，我们的客体恒常性也会遭到破坏（Mahler，1971）。

## 缺乏客体恒常性会怎么样

自体心理学的建造者Heinz Kohut（1971）认为，人与外界客体互动最健康的状态是，能同时有独立感和依附感。

但缺乏客体恒常性，会让人们既不能独立也不能依附。

说到底，具备客体恒常性之后，我们的内心会有对于客体的信任感，从而有关于自身的安全感。我们有能力不需要真的去和外在客体时时确认自身的安全，因为我们的内在客体是稳定的。此时，我们能够自给自足地拥有满足感和安全感。

缺乏客体恒常性的人，没有能力在心里形成一个"形象足够稳定"的内在客体，或者无法维持足够长时间——很容易崩塌。我们对与外部客体的认知和感情，会由于现实中的分离（比如失联）产生剧烈动荡。

再来复习一下客体恒常性的全过程：

外部客体和我们发生关系，我们的内心产生关于外部客体的对应形象（内在客体），外部客体以其对应的内在客体与我们发生关系。虽然外部客体会产生分离或过失，但对应的内在图像（内在客体）相对稳定，我们与内在客体的关系也相对稳定，有安全感。

1.所以缺乏客体恒常性的人，难以真正地独立。因为与外在客体一旦暂时失去联系，他们就会不安，他们需要不断从外部客体中获得即时的确认，才有安全和满足感。

2.缺乏客体恒常性的人，也无法真正享受与别人的联结感。由于无法保留内在客体，他们对他人的评价也经常动摇，只是基于他人当下的表现和自己当下的感受，也无法容忍他人偶尔的过失。可以说他们缺乏信任的能力，所以他们也无法真正意义上享受长期稳定深入的联结感。

在人际交往中，如果没有综合评判他人的标准，还会让我们错过真正关心自己的人。因为一个一直只会"让你感觉良好"的人，并不能算是真正的好朋友。他们却会因为一时感觉不好，推开珍贵的人。

## 缺乏客体恒常性的人，成年之后可以努力改变吗

客体恒常性的存在，与"在我们的自身中安居"有着重要的关系。

它是一种能够帮你看清世界的能力，你会发现这个世界虽不是一成不变，也并不是你想象的那么无常。它代表着一种"安宁与稳定"的感觉。

好消息是，成人后客体恒常性仍有机会提升。你可以尝试以下方式。

### 1. 认知上的改变

缺乏客体恒定性的人，在和外界的互动中产生负面情绪，可能马上对外界和自己定下负面的评价。为了改变这种本能式的"过快下结论"的思维方式，也许人们可以有意识地以更理性的良性思维模式替代。

Greenberger，Padesky & Beck（2015）所著的《思维取代思绪》（*Mind over Mood*）中，提出了七步方法：

第一步

情况：现在让你出现强烈情绪的场景。eg.恋人离开家，出差五天。

第二步

情绪：现在的情绪。eg.害怕、焦虑和恐慌。

第三步

自然涌现的想法：因为这个场景你自然而然对于他人和自己的一些看法。eg.他抛下了我。我不值得被爱。

第四步

支持这些想法的证据：实实在在发生的事情让你觉得这些想法是事实。eg.他没有说到底什么时候回来，而且我一直没收到他的信息。

第五步

不支持这些想法的证据：实实在在发生的事情让你觉得还

存在第二种可能性。eg.他一直都很在意我的感受，而且走之前说了事情结束后会尽快回来。

第六步

平衡后的想法：在对比了两方面的证据后产生的新想法。eg.他一直不发短信给我是不好的，但是很有可能不是他不想理我，而是暂时抽不开身。

第七步

评价现在的情绪：有没有变化或有没有产生新的情绪。eg.挂念和担心，而不是无法承受的恐慌。

## 2. 情绪上的改变

成人后建立新的关系可能会催生对于人际关系的新看法（Harms，2011）。找一个能够信守承诺、情绪稳定的人，与其建立起长期的人际关系。

这个人不一定是亲密对象，也有可能是一个密友。甚至如果在日常生活中，很难找到这样的人并与之建立稳定的长期关系的话，与心理咨询师建立类似的长期关系也可能会有相同的作用（Harms，2011）。在这些长期关系中，人们也许能够重新审视自己对于客体的惯性思维。

愿你我都能日渐成长为更为安宁的人。

# References

Ainsworth, M., & Bell, S. (1970). Attachment, exploration, and separation: Illustrated by the behaviour of One-Year-Olds in a Strange Situation. Child Development, 41(1), 49.

Akhtar, S. (1994). Object constancy and adult psychopathology. The International Journal Of Psychoanalysis, 75, 441-455.

Alperin, R. (2001). Barriers to intimacy: An object relations perspective. Psychoanalytic Psychology, 18(1), 137-156.

Calhoun, L., & Tedeschi, R. (2004). Author's response: "The foundations of post-traumatic growth: New considerations". Psychological Inquiry, 15(1), 93-102.

Fraiberg, S. (1969). Libidinal object constancy and mental representation. The Psychoanalytic Study of The Child, 24(1), 9-47.

Greenberger, D., Padesky, C., & Beck, A. (2015). Mind over Mood (2nd ed.). New York: The Guilford Press.

Harms, L. (2011). Understanding Human Development. South Melbourne, Vic: Oxford University Press.

Kohut, H. (1971). The Analysis of the Self. Chicago: University of Chicago Press.

Mahler, M. (1971). A Study of the separation-individuation process. The Psychoanalytic Study of The Child, 26(1), 403-424.

Mahler, M., & Furer, M. (1969). On Human Symbiosis and the Vicissitudes of Individuation. New York: International University Press.

Mahler, M., Pine, F., & Bergman, A. (1975). The Psychological Birth of the Human Infant: Symbiosis and Individuation. New York: Basic Books.

Winnicott, D. (1958). The capacity to be alone. The International Journal Of Psychoanalysis, 39, 416-420.

"为了逃避可能的失败，我选择主动原地躺下"

# 你是一个不敢努力的人吗？

"咸鱼"这个词最近几年经常被大家用来自我调侃。在我的观察中，身边自称"咸鱼"的人，大多不是理直气壮地瘫着，而是一边焦虑一边就地躺下，然后继续躺着焦虑。更有意思的是，很多"咸鱼"与其说是不想努力，不如说是不敢努力。甚至，他们还会主动给自己"挖坑"。

如果你也是这样一条无法心安理得瘫着且不知为何离自己内心想要的东西越来越远的"咸鱼"，这篇文章或许能帮到你。

## 不敢努力且主动"挖坑"，是一种自我设障

这种看起来很不理智的，不仅不努力，还自己给自己"挖坑"的行为，在心理学中有一个对应的概念，叫作自我设障（Self-handicapping）。它在1978年由心理学家Edward Jones和Steven Berglas首次提出。

自我设障，指的是在进行一件事之前先给自己预设障碍，

做出对成功不利的行为或言辞，并在事后将结果的不理想推脱给事先预备好的理由。它是一种认知策略。自我设障者在预测自己无法达到目标或者可能表现得极不理想的情况下使用这种策略。

值得注意的是，自我设障虽然是一种"策略"，但它的发生通常是自动的、无意识的。换言之，给自己"挖坑"的人可能并意识不到这种行为倾向，觉察不到自己行为的意图。

Berglas和Jones（1978）在研究自我设障时，设计了这样一个巧妙的实验：

志愿者们在进入实验室后，先会被分配到一个任务。其中一部分人拿到的是一个非常困难的测试（基本只能靠瞎猜），另一部分人则被分配到相当简单的测试。志愿者对于彼此之间的测试难度差异并不知情。

完成后，两组志愿者得到同样的反馈：你完成得很出色，结果非常好。此时拿到极困难任务的志愿者心里会有所疑惑，并把这种侥幸的"出色"全都归功于运气。相对地，简单任务组就不会对这个反馈感到意外。

接着，志愿者们被告知刚才只是一个预测，主要是测试一下他们现在大概的水平，接下来会再做一次测试，并把结果作为真正的实验数据。

在第二次测试开始前，志愿者们被告知现在有两种药可供选择，一种增强药可以提升他们测试时的表现；另一种药会削弱他们的能力，使他们的发挥受到影响。

猜猜哪一组有更多人选择了会削弱能力的抑制药呢？

答案是困难任务组。

这组人深知自己第一次的优秀表现是侥幸，所以他们担心再做一次很有可能会"露馅"。为了保护自己的自尊心，也为了维护他们在实验者心中的形象，他们需要一个好的借口来掩饰自己的失利，而"我服用了抑制药"就是一个最完美的理由。这是一个自我设障的典例。

自我设障有两种类型，一种叫作行为式设障（behavioral handicapping），另一种叫作宣称式设障（claimed handicapping）。

顾名思义，前者给自己设置障碍体现在实际行为中。他们可能会故意做一些会扰乱自己发挥的事情，比如拖延、酗酒、通宵打游戏等等。他们还可能通过在明明知道该做什么的情况下，却什么都不做，来达到设障的目的，比如"裸考""裸面"。

而另一些自我设障则是"宣称"的，即口头上表示自己因为某些原因处于劣势。考试前说自己没复习，演讲前说自己身体不舒服，约会时说自己其实不太会化妆，都属于宣称式的自我设障。不过，这种宣称并不一定与实际行为一致。

**自我设障看似是一种自我保护，长期却会给我们带来伤害**

给自己"挖坑"这件事，的确有它的积极作用。

人们通过自我设障为可能的失败寻求看似合理的外归因（将事情的结果归结于与自己无关的外部因素），这样做是为了维护自己的自尊。因为，比起自己拼尽全力也未能达到预期的效果，从而被评价为"能力不足""不够聪明""没有魅力"——即便这种评价实际上只来自他们自己；人们宁愿自己是由于故意不努力，而被人说"咸鱼"，或是将失败理直气壮地推给"时间不够""没有准备"，或是"身体不适"。

毕竟，对许多人来说，面对和接受"我努力了也不过如此"这件事，才是最困难的。

自我设障不仅能起到维护自尊的作用，甚至还能在特定情况下提高人们的自尊，发挥自我强化（self-enhancement）和印象管理的作用（Rhodewalt & Vohs,2005）。最常见的一种情况，就是一个人在自我设障的情况下依然取得了满意的结果。在这样的时刻，我们在享受成功的喜悦的同时，还能给自己再加一层光环——"我都出了状况，还可以做得这么好"。

甚至，在一些人的眼中，"努力"并不是一个褒义词。他们会觉得，那些拼命努力，却没有取得什么明显成就的人，有点儿"傻"。所以他们想要给自己营造一个"不努力"的形象，在这样一种形象背后，包含着一种"我只是不努力，我努力了就一定会和现在不一样"的幻想。

事实上，研究结果显示，在完成任务时使用自我设障这种策略，的确可以在短时间内提升一个人的自尊水平，让人们的自我感觉更良好，不论任务是成功了还是失败了（Rhodewalt & Fairfield, 1991; Rhodewalt, Morf, Hazlett & Fairfield, 1991）。

然而，自我设障能给我们的"保护"一定是暂时且脆弱的。

从更长远的角度来看，虽然自我设障是一种用来保护自尊的策略，但若是经常这样做，会让人们不自觉地将对自己和未来的期望越放越低，他们对自己能力的认知也会越来越不准确。他们只会去好好完成那种极其简单，几乎不可能失败的任务。换言之，人们会由于习惯于给任务增添不必要的障碍，而逐渐失去检验自己究竟能做到什么程度的机会——优势在哪里，极限又在哪里。

而真正健康的自尊，一定是建立在对自我有相对全面的认知的情况下的。这种"全面"包括：清楚认识到自己擅长与不擅长的地方，优势与劣势，并能够在此基础上依然坚信自己的价值。这也是我们为什么说自我设障带来的短期自尊的提高是不堪一击的，长期来看，它本身就是我们给建立健康自尊所设立的一个障碍。

归根结底，自我设障始终是一种消极回避的策略，甚至可以说是自我欺骗。它既不能帮助我们认识自己，也无法给人带来任何实质意义上的成长。长此以往，甚至会变成一种恶性循环。

## 什么样的人更容易自我设障

### 1. 回避失败型动机取向者

在Elliot和Church（1997）提出的动机模型中提到，人们选择做或不做一件事的动机可以分为两种：获取成功（Approach

Motivation）和避免失败（Avoidance Motivation）。简单来说，就是有一些人就算知道有失败的风险，也想为了成功一搏（"哪怕终不遂我愿，试过就不后悔"）；而还有一些人比起可能面对的失败，宁可选择不要成功（"如果有可能做不到，那我还不如不做"）。

显然，习惯自我设障的人通常属于第二类——他们对失败的恐惧，超过了对成功的渴望。

### 2. 过度悲观者

日常生活中，当我们说一个人是乐观或悲观的时候，通常指的就是一个人在气质类型上的乐观/悲观，表现为人们对于未来是好是坏的预期和判断。乐观主义者，通常认为自己的未来会是美好的；悲观主义者，则并不相信自己的未来会是美好的。

过度悲观也容易让人进入一种"自我设障"的模式之中。当预感会遇到挫折或失败时，过度悲观的人会选择放弃抵抗或不做努力，并且无意识地采取一些措施来"证实"自己的猜想——我的未来是不美好的，我无法得到我想要的。他们不会尽全力，因为觉得努力是无济于事的。甚至，过度悲观者使用的设障方法都是更加消极和被动的，比如拖延。

### 3. 隐性自恋者

自我设障常常和低自尊联系在一起，但其实它和自恋之间也有着千丝万缕的关系（Rhodewalt, Tragakis & Finnerty, 2006）。那些最常自我设障的，是表面上低自尊，却有着自恋内核的隐性自恋者——即便他们自身不一定能够觉察到。

自恋内核使他们不能直视，甚至不能想象自己"能力不足"这件事，也无法接受他人觉得自己能力不足。但同时也是他们低自尊的一面让他们在评估任务时就倾向于认为自己无法完成。

而真正意义上的低自尊者，可能不会费尽心思地去为失败提前找好借口。因为他们发自内心地相信自己做不好，所以反而能够更坦然地接受那个如约而至的坏结果。

### 4. 自我意识过高的人

我们曾多次提到"自我意识"（self-consciousness）这个概念。Crozier, & Russell（1992）指出，自我意识和有意识地进行自我觉察是不一样的概念。后者是一种具有反思性的、健康的、积极的状态。而自我意识则是"十分强烈地感觉到自己的存在"的一种状态，是一种不舒服的感觉：

在下意识的假想中，自己好像始终被"注视"着，强烈地感受到自己的一举一动，在人群中觉得"好像所有人都在看我"——都是"自我意识"的表现。

"自我意识"强的人，不管在做什么事，都还是会有一部分注意力留在自己内在的情绪和想法上。而过于在意成败得失的自我设障者们之中，也有很大一部分是源于过高的自我意识——总觉得别人在看自己、在评价自己，甚至在等着自己"出丑"。

## 如何跳出不敢努力、自我设障的怪圈

### 1. 有意识地降低自我意识

研究首先发现，当有批判性的"自我意识"被降低的时候，当一个人在人群中更少地感觉到自己的时候，被评判带来的焦虑和不适会在很大程度上消失。因此，如果你也是一个因为在意别人眼光而提前给自己留足后路的自我设障者，你可能需要时不时地提醒自己：别人没有在注视着我，等着看我搞砸一切，别人也没有那么在意我的表现。

2. 学习新的认知策略：防御性悲观

防御性悲观，指的是人们在事情发生前，想象出可能的最坏情境，并为之做好相应的准备，同时依然做出指向最好结果的努力。在心理学家Julie Norem（2001）看来，防御性悲观是一种能有效降低焦虑的方式，并能帮助人们有的放矢地解决问题或做好准备。

防御性悲观的前半部分看起来和自我设障的策略类似——事情发生前，想象出最坏情境，但两者基于这种想象所做出的行为却是截然相反的。

而练习防御性悲观，说的是考虑和分析所有可能的最坏的情况，具体地思考可能会发生什么，一一做出可实现的应对计划，而不是宽泛地悲观恐惧，沉浸在恐慌中，更不是将时间精力用在提前找好失败的借口上。做一个"携带救生衣上船的悲观者"，在最坏的情况真实发生时，可以有条不紊地处理，而不是沉浸在自己构建的、虚幻的自我欺骗之中。

3. 进行归因训练，建立更健康的自我概念

我们之前曾指出，面对负面结果时一味地向内归因是不健

康的，这种稳定的、向内的归因模式也常常出现在抑郁症患者身上。然而，在面对问题时总是刻意地向外归因，其实也是不可取的。

最健康的归因方式，应该是相对平衡的——不论是好结果还是坏结果，自身和环境都对这个结果产生了一定的作用，即便两者作用的比重可能是不同的。对于自我设障者而言，他们需要承认自己对结果是有影响的。

这可能会有一些痛苦，尤其是不得不承认一个坏的结果与自身特质有关时。但，这同时也是一个找回控制感的过程。

比起幻想自己不会失败或是即使失败也与自己无关的自我设障者，相信自己在一件事情上具有一定的控制感，并且能够通过努力对结果造成一定的影响（即便不是立刻扭转结果），或许才是更加现实和可靠，也更利于自己成长的做法。

## References

Berglas, S., & Jones, E. E. (1978). Drug choice as a self-handicapping strategy in response to noncontingent success. Journal of personality and social psychology, 36(4), 405.

Crozier, W. R., & Russell, D. (1992). Blushing, embarrassability and self – consciousness. British Journal of Social Psychology, 31(4), 343-349.

Elliot, A. J., & Church, M. A. (1997). A hierarchical model of approach and avoidance achievement motivation. Journal of personality and social psychology, 72(1), 218.

Jones, E. E., & Berglas, S. (1978). Control of attributions about the self through self-handicapping strategies: The appeal of alcohol and the role of underachievement.

Personality and Social Psychology Bulletin, 4(2), 200-206.

Norem, J. K., & Smith, S. (2006). Defensive Pessimism: Positive Past, Anxious Present, and Pessimistic Future.

Rhodewalt, F., & Fairfield, M. (1991). Claimed self-handicaps and the self-handicapper: The relation of reduction in intended effort to performance. Journal of Research in Personality, 25(4), 402-417.

Rhodewalt, F., Morf, C., Hazlett, S., & Fairfield, M. (1991). Self-handicapping: The role of discounting and augmentation in the preservation of self-esteem. Journal of Personality and Social Psychology, 61(1), 122.

Rhodewalt, F., Tragakis, M. W., & Finnerty, J. (2006). Narcissism and self-handicapping: Linking self-aggrandizement to behavior. Journal of Research in Personality, 40(5), 573-597.

Rhodewalt, F., & Vohs, K. D. (2005). Defensive Strategies, Motivation, and the Self: A Self-Regulatory Process View.

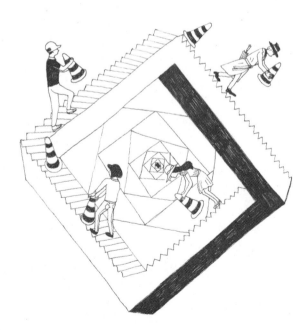

"一言不合就拉黑"

## 越着急离开的人，越放不下过去

这篇文章的主题来源于和一个朋友的一场有趣的对话。她对我说，在今年之前，她都从来没有终结过和重要他人之间的关系。她会不断地回头找那些在她生命中留下过重要印记的人，与他们保持某种联系。很多次她都以为自己终结了这些关系，但实际上，双方还是在某种关系中，她还会在一段时间后回头。

后来，在她与心理咨询师的关系中，也出现了这个问题。她决定和咨询师结束咨访关系，但又会重新预约。再结束，再回头，如此反复。有一天她突然意识到，她还没有能够彻底离开过任何一个曾经重要过的人。

现在，我们来聊聊"终结"这件事。

### 为什么终结很重要

专业领域对于终结（termination）这个话题的讨论，最常出现在心理咨询师与来访者的关系中。但其实，每个人的生命中都避不开"终结"这个命题。一生中能够始终相伴的人是非常有限的，就算真的做到了一生相伴，也终会有死亡将我们分离。

甚至，有一些关系的建立就是以终结为目的的。除了咨访关系以外，常见的还有师生关系和亲子关系。这样的关系是特殊的，它们最大的共同点在于，建立关系的目的就是为了帮助另一方在和自己分离之后，能够独立地过得更好。当然，即便如此，终结重要关系的过程依旧十分艰难。

而为人父母这个命题之所以如此困难，也与它"须要完成分离"的性质分不开。如果父母永远不真正"送走"孩子，孩子不能真正"离开"父母，对双方来说并不是一件好事。

不过，只有那些非常重要过的关系，才有"终结"的议题可言，因为彼此深入地影响过。那些不重要的人，你其实也并不会意识到分离是何时到来和完成的。

## 终结是一个特殊的时刻

关系"终结"的特殊之处在于，它既是一个危机的时刻，也是一个发展的时刻（Quintana，1993）。

终结之所以是一个危机的时刻，是因为我们很多情绪性的反应会在这个节点被激活。尤其是人生中那些还没有得到解决的、与失去有关的感受，人们的心理状态面临着顷刻崩塌的可能。在咨询中，它也是最容易引起问题复发的一个节点。

人们在面临重要关系失去的时候，往往有着痛苦的感受。

而每个人在这个时刻，都有一些已经获得的既往的经验、对关系终结的认识。如果对于终结有着恐惧的感受或者曾经发生过不好的事情，我们会在再一次面临终结的时刻，被激发过去习得的思维和行为模式。

我们会发现，本已经平静下来的自己，再次变得心情激荡、充满猜疑、逃避面对甚至主动做出伤害对方的行为等等。终结是一种刺激，它激活了我们未解决的问题。

而终结也是成长的时刻，因为很多时候，人们在没有被激活这些未解决的问题时，他们并没有机会去深入理解或者直接调整自己的某些不良部分。也许是由于这些问题发生在久远之前，已经距离现实生活很遥远了，他们甚至会忘记自己还存在着这些问题。而在情绪被激活的时刻，他们才重新经历这一切，并再一次有了机会，去理解自己这些被激活的反应，去发现自己还有别的处理方式，重新彻底解决自身的问题。

## 为什么终结会如此痛苦

在完形心理学的观点中，一个人的自我图式（self-schema）的建立过程中，重要他人的影响是不可或缺的，甚至可以说是最关键的组成部分之一。这也是为什么有人说，每一次重大的告别都伴随着一部分自我的死去。

换言之，人们与这些重要他人的关系，是自我很重要的组成部分，如果和这个人的关系终结了，自我就会出现一部分的缺失——觉得自己少了一块。关系越是深刻，这种不完整感就会显得越发强烈，甚至严重影响到人们的自我认知。

另外，还有可能是因为这些人和他们发生过重要的联结，所以这一点在一定程度上"证明"了他们自己是被需要的。这和自我的存在主义有很大的关系——它给了人们存在感。因此，重要关系的终结会激发大量的空虚感，以及带来自身存在感的改变。

## 为什么和过去终结对于一些人来说尤其难

**1. 无法终结重要关系，看起来是过去的问题，而本质反映的是当下的问题**

许多人不愿意和过去终结，是因为无法或者不愿和当下发生足够深刻的关系。

他们身上所表现出的一个模式：比起当下的关系，更愿意感受到自己对过去某段关系的看重、依赖、需要等等。文首提到的这位朋友就反思到，她一贯更愿意感受到自己与过去的人之间存在难以割舍的感情，对当下的人和关系则很难感受到联结。

她自我分析道，这可能是因为过去的关系"已成定局"，无论好坏，都已既成事实，不存在更多的伤害自己的风险。相比而言，与当下的人建立联系是一件风险更大的事。因为她在潜意识的控制下，几乎很难感受到当下可以随时接触到的、真的有机会加深的关系的重要性。

换言之，他们更愿意和过去的人、已经失去的人保持重要的联结感，他们与过去保持某种程度的持续联系，这是一种既不是拥有也不是完全告别的状态，从而一定程度上降低自身的孤独感。但他们会这样表现的原因，是他们无法处理好当下（可能的）重要关系。

有趣的是，一旦当下的关系成为过去的关系，他们就会开始试图挽回和纠缠。他们会更愿意承认过去关系的重要程度，因为它过去了，也就意味着它是确定的，也是安全的。与此同时，他们看待其的眼光也更加包容了——对于过去的关系，他们更容易自洽，也更能够不在意、原谅，甚至接受它是有瑕疵的。

但归根结底，尤其难以与过去终结的人，可能还是因为他们在现在有所缺失，因此才必须从过去找到自己需要的联结。因此，对于他们来说，更重要的或许不是紧握住应该终结的东西不放，而是着眼于当下的那个"应该在那儿"但却不在那儿的东西。思考现在的生活缺失了什么，才能联结到当下和未来。

想解决过去的问题，其实必须先解决当下的问题。

### 2. 每次终结都做得太快和太绝对

除了未意识到的、当下的缺失，难以真正终结的人还往往是由于他们的每一次终结都做得太快和太绝对，这是一种常见的、不良的情况。比如那种一言不合就拉黑，或是没有给双方任何沟通机会就老死不相往来的人。

这样做的后果是，他们没能去探索那段关系中，在那个时间段所有的信息。在这个前提之下，他们做出的决定也通常没有真的经过深思熟虑，也并非真正从心。因此，在草率终结之后，一旦出现了新的信息，或是他们注意到了之前不曾注意到的信息时，他们的内心就会开始动摇，开始懊悔。这也解释了为什么他们会反反复复地进入那个"终结—纠缠"的循环。

一些人总是迫切地想要立刻完成终结这个动作，而有些人则不那么迫切，是因为每个人对认知闭合的需求是不同的（Kruglanski & Webster，1996）。认知闭合的需求指的是，一个人在一个模糊的语境/情境中去寻求一个确切答案的动机。相关领域的研究者认为，每一个人对于认知闭合的需求程度是不同的，这是一种相对稳定的个人特质。

也就是说，一些人对"模糊"的忍耐度是更高的，他们也没有那么强的动机去立刻获得确定的结果。而另一些人则尤其需要一个立即的、确定的答案。对于后者而言，去探索所有的信息，再完成真正的终结是一件过于痛苦的事。

无法忍受在遇到问题的时候，尽力付出时间与精力，去探索能够获得的所有信息，深入思考，是因为这些人害怕面对现实。他们是一群更不愿意接受现实的人：尤其是那些无法实现的愿望，以及这种无法实现可能包含着的关于自身的信息——"我不能心想事成""我不被需要和喜爱"等等。

可以说，直面现实是好的终结的一个最重要的前提。没有对现实的直面，就没有好的终结可言。

## 怎样的终结是好的终结

就像上面提到的，一个真正的终结，一定建立在人们已经探索完所有信息的前提之上。当一个人尽可能地去获取所有的信息，并在此之上得出一个复杂的结论，做出终结的行为，才能达成一种真正意义上的认知闭合。

而我能想到的，一种特别理想的终结方式，或许是发生在成熟的人们身上的"好心分手"（并不仅仅特指亲密关系中的"分手"）。这样的终结不一定是发生在两个成熟的人之间，但它要求发起方必须是足够成熟的。

回到咨访关系中，伦理要求咨询师不能随意中止和来访者的关系。只有当咨询师确信，从来访者的利益出发，持续咨询关系已不再能够让对方受益，再也无法帮助到对方，甚至会伤害到对方时，他们才可以发起关系的终结。

现实关系和咨询关系不同，两个人之间并不是委托关系——没有一个人可以完全从另一个人的利益出发考虑问题。平衡两个人的利益关系，是终结关系时很重要的一个环节。但好的终结，第一个标准仍然是，有一方真诚地觉得，继续这段关系将让关系中的一方或双方利益受损。

很多时候，终结和遗弃之间只有一墙之隔。人们常常会用"我要终结关系是为了TA好"宽慰自己，但他们其实没有真正面对自己想结束这段关系的原因。没有真诚，几乎很难有好的终结发生。

好的终结的第二个标准，是双方被赋予了机会，深入地探索终结时刻自己的感受，讨论终结为什么发生，可能对自己造成什么影响。如果在关系终结的时候，双方能够说出自己的感受，有充分的交流的空间，这段关系的终结将对人有更小的负面影响。

好的终结，对关系而言，也是一种好的结果——不是只有永不分离才是好结局。好的终结能让我们从中获得显著的成长，能够加深我们对自身的了解，也能影响我们后续的三观。好的终结不会留下太多让自己困惑的情绪，不会遗留和压抑太多尚未解决的情绪。尽管人们仍然会为好的终结悲伤一段时间，它却不会对我们造成太过深远的负面影响。

回到文章开头的这位朋友。她说，有意思的是，当她意识到自己始终活在"过去"的关系里，而忽视当下的时候；当她发现自己从没有彻底终结过关系，理解了自己这样做的原因之后，她在近一年的时间里，一个一个彻底终结了那些过去曾经重要过的人和事。

她说，原来这才是终结的感觉。那些人沉没到意识和记忆的深处，像所有的记忆一样，他们仍然存在，只是你的注意力越来越少被分配到那里，即便想起了他们，也不再有激烈的情绪被激起。终结的感觉是，尽管仍然还能找到他们，却已经不再有想去联系的冲动了。

在那之后，她开始有了更多的约会。那个曾经缺失的当下与未来的可能，回到了她的生命图景里，她开始朝着现在和未来去活着，我能看出她从这些终结的过程里，结晶化了一些感受和体验。而她说她最大的成长是意识到，以前总把无法终结的责任推给别人。现在才知道，关系的终结不像建立关系那样需要两个人的共识，终结只需要自己一个人。

## References

Bowlby, J. (1960). Separation anxiety. The International journal of psycho-analysis, 41, 89.

Kübler-Ross, E. (2009). Death: The Final Stage. Simon and Schuster.

Manicavasagar, V., Silove, D., Curtis, J., & Wagner, R. (2000). Continuities of separation anxiety from early life into adulthood. Journal of anxiety disorders, 14(1), 1-18.

Quintana, S. M. (1993). Toward an expanded and updated conceptualization of termination: Implications for short-term, individual psychotherapy. Professional Psychology: Research and Practice, 24(4), 426.

Webster, D. M., Richter, L., & Kruglanski, A. W. (1996). On leaping to conclusions when feeling tired: Mental fatigue effects on impressional primacy. Journal of experimental social psychology, 32(2), 181-195.

他们不愿意改变，其实是你自己不愿意改变

# 如何不做被动的承受者

　　原生家庭对人们的影响经常被提及，但很少有人提到，我们是如何反过来影响父母和家庭的。这篇文章，聊一聊父母和孩子之间的相互影响和相互塑造。

　　我们不是，或者至少不单是被动地承受着命运，等待着它降临在我们身上。我们还是自身命运的缔造者。

## 孩子的气质，会影响父母对待他们的方式

　　亲子关系是人们最初的社会关系，影响着个体日后的人际交往。尤其是在生命的初期，生理需求能否及时得到满足，影响着个体对于外在世界与他人的信任感以及安全感的判断。当父母能够及时回应孩子的需求时，孩子更有可能认为外在世界是安全的，TA长大之后也更容易表现得不拘谨，善于与他人交往（Ainsworth，1978）。

　　尽管大多数幼年的记忆早已被我们遗忘，但这些关于爱与

安全的感受早就固着在我们之上，影响着我们之后的人际关系，包括亲密关系（Hayasaki，2016）。

父母培养我们形成自己对世间的好恶、价值态度，为他们提供社会交往、情绪管理等一系列社会化行为的模型（McCrae & Costa，1994）。

也正是基于原生家庭对我们的一系列的影响，人们开始习惯于将自己身上一切导致生活不顺意的固有模式，和自己性格中不喜欢却又难以改变的部分，都归咎给家庭，怪罪给父母养育我们的方式。但，我们忽略的一个事实是，亲子之间互动模式的形成，从来不是单向的。

绝大多数对父母教养方式和孩子性格形成之间的关系的研究，都是相关性研究，而并非必然性研究。也就是说，可能是前者（教养模式）影响了后者（性格），但也有可能是后者（性格）影响前者（教养模式）。

气质性格（Temperament，也有称作dispositional traits），也就是所谓的"性情"，是那些在我们仅出生几天的时候，就已经表现出来的"脾气性格"（Jarrett，2016），它被看作是奠定了人格的最基本的趋势特征（McCrae，et al.，2000）。

剑桥大学心理学家Brian Little在研究中发现，当人们在新生儿的床边制造出一些声响的时候，有些新生儿会自然地转向发出声音的地方，而另一些新生儿的反应则相反，他们会（默默地）转开（Little，as cited in，Dahl，2014）。这种差异甚至在父母与新生儿的初次互动之前就已经有所显现了。

在一项最新的研究中，美国心理学家Mona Ayoub和她的团队分析了得州双胞胎纵向研究项目的数据，其中包含497对同卵双胞胎和914对异卵双胞胎，他们的平均年龄是13岁。

这组数据中包括了对父母教养方式的评测，以及对孩子们性格的评测。对教养方式的评测主要集中在"温暖"和"压力"两个维度上。它们背后分别有一系列与这个维度对应的行为。而孩子们则是做了儿童版本的大五人格测试——即我们所熟知的，责任心、宜人性、外向性、开放性及情绪稳定性这五个维度（McCrae，et al.，2000）。

研究者们预测，同样是在一个环境中被同一对父母抚养长大的双胞胎，基因型一致的同卵双胞胎会受到更相似的对待，而基因型不一致的异卵双胞胎则会感受到更有差异性的对待。

结果发现，正如他们所想，父母对性格更相似的同卵双胞胎们的教养方式是稳定且一致的；而差异较大的异卵双胞胎们，即使在同一个家庭中成长，却感受到了父母十分不同的教养方式。

换言之，在同个家庭里同时期长大的孩子，也有可能会和父母建立起很不一样的相处模式，而这种模式是双方共同塑造的。

比如，Ayoub等人（2018）发现，在大五人格中宜人性和责任心得分更高的孩子，父母在和他们的相处中体现出了更高的"温暖"水平和更低的"压力"水平。而在与宜人性较低或情绪稳定性较低的孩子相处时，父母的教养模式中则表现出了更少的温暖行为和更大的压力行为。

研究者认为，孩子们展现出的不同性情，会激活，或者说是塑造出父母性格中与之更匹配的一面，而这一面通过行为表现出来之后，又进一步激化了孩子原始性情中的那一部分。接着，孩子再继续影响父母，形成一个互相强化的、稳定的循环。如此一来，孩子与父母之间的相处模式，就由双方的互相影响，共同建立了起来（Ayoub, et al., 2018）。

## 孩子对父母的影响，从他们还未出生时就开始了

在成为父母的过程中，父亲和母亲都会产生一系列生理上的变化。这种变化是他们无法控制的。

在一个孩子出生前后，女性的大脑灰质会变得更加集中，控制同理心和社会互动的区域都会加速活跃。在怀孕期间，她们的荷尔蒙会开始加速散发，增加她们与孩子之间的吸引力。也就是说，母亲几乎难以控制自己不对自己的孩子产生爱意。但与此同时，她们的大脑中与焦虑、抑郁、强迫、恐惧相关的区域也会被激活。高度活跃的杏仁核区域，会使母亲对婴儿的需求变得极度敏感（Lafrance, 2015）。

即便未参与实际生育的过程，父亲也会经历生理上的变化。孩子刚出生的几周，一直持续到孩子出生6个月后，父母各自的催产素的水平都一直在提升，并且父亲和母亲的增长是同步的。研究者认为，是抚养孩子的过程，一系列和孩子的互动让这

种激素产生的（Feldman，2007）。

此外，"成为父母"这件事，还会给人们带来性格上的、价值观上的，乃至人生哲学上的改变。比如，为人父母通常伴随着一个人责任心和宜人性水平的提高（Lehnart，Neyer & Eccles，2010）。不仅如此，个人整体的焦虑、抑郁水平，以及对生活的掌控感，都会随着获得"父母"这个身份发生变化。

研究还发现，成为父母之后人格上改变是趋于正面还是负面的，也在很大程度上取决于他们孩子的性情是更"容易"还是更"困难"的（Wolfson & Lachman，1985；Belsky，1981；Plemons，1980）。

又比如，一个坚持"及时行乐"的人生哲学的人，可能会为了当下的享乐做一些不会让自己在今后受益的事，比如肆意地抽烟、喝酒，放纵自己的欲望。他们可能同时也并不那么在意自己会因此以寿命的折损为代价。但，当他们成为了父母之后，这种人生哲学发生了转变，他们开始在意自己的身体状况，开始活得更加"小心谨慎"，却甘之如饴——只为了有更多的时间可以见证他们孩子的人生。

不过，即便教养孩子的过程可能会面临各式各样的困难和阻碍，"与孩子相处的时光"依然被人们看作是人生中最具幸福感和意义感的事情之一（Kahneman，2012）。

孩子不仅会对父亲和母亲分别产生影响，他们对整个家庭关系的形塑也有着不容忽视的作用。

在家庭系统治疗的奠基者Murray Bowen的家庭三角理论

中，三角关系是维持稳定的家庭情绪的最小和最常见的单位，即父母之间的关系，以及父亲和母亲分别和子女间的关系所组成的三角形。最健康的三角关系应该是父母相爱相敬，两人共同爱孩子，家庭成员之间既亲密联结，又彼此独立（Bowen，1976）。

在Bowen的理论中，两人系统是不稳定的，因此他们在压力之下将组成三人系统或三人关系，因为两人都试图产生一个三角关系以便减少他们关系中过多的焦虑。然而，三角关系的建立也并不总是用于减少紧张，Kerr和Bowen（1988）指出，家庭中的三角关系至少有四种可能的结果：

1. 稳定的二人关系可能由于第三者的加入而动摇，比如孩子的出生给和睦的婚姻带来冲突；

2. 稳定的二人关系可能由于第三者的离开而动摇，比如孩子离家，从而无法再在父母冲突时形成三角关系，以某种方式缓解冲突；

3. 通过第三者的加入，不稳定的二人关系变得稳定，比如孩子出生后，原本有冲突的婚姻因此变得和睦了；

4. 通过去除第三者，不稳定的二人关系将变得稳定，比如因为孩子一直在父母的冲突中偏袒某一方，TA的离开反而减少了冲突。

孩子作为这个稳定三角的一个组成部分，解决了一部分问题，也带来了一部分问题。在他们的成长过程中，也会有意或无意地，给父母的生命、给这个家庭制造许多全新的命题。

## 即使在糟糕的家庭环境里，我们也是"有选择"的

有人看到这里依然会感到绝望——天生的性情是无法自主选择的，父母和家庭环境也不是我们能做主的，人生看起来似乎更失控了，尤其是那些认为自己童年过得很糟糕的人。那，我们能为自己做些什么呢？

其实，所谓的好的父母和糟糕的父母，某种程度上都能够成为我们中立的成长因素。只是每个人成长的道路是不一样的。有的人经历复杂的、混乱的环境，有的人经历更顺畅的环境。

我们不否认，是有客观上更"好"的和更"差"的成长环境，有问题更多的和更少的区别——这是我们"不能选"的部分。它就像是老天将你扔在了不同的成长道路上，有的可能更艰险，有的可能更顺利。

然而，即便是在看似良好的家庭环境中，在生命展开之后，我们都会感受到家庭给我们带来的挑战。没有一种原生家庭是不会给孩子带来任何挑战的。这些挑战可能是不同的，给我们带来的痛苦感的强烈程度也不同，但人生是无法比较的，你必须要处理自己眼前的问题。而我所说的"有的选"的部分也就在于，同样是一个混乱的家庭环境，你也可以选择长成不同的样子。

哥伦比亚大学临床心理学家Bonanno提出，负面的经历和事件本身，对于预测人们未来的生活境况没有太大的参考价值。"研究数据发现，曾经遭遇创伤这一点，无法用来预估人们未来

的社会生活功能"，他说，"只有当人们对这些创伤性的经历有负面的回应时，它们才和未来负面的影响联系在了一起。"

也就是说，即便你曾经在不健康的家庭环境中生活过，或者曾经经历过糟糕的事件，都不表示你的未来必然受到它们的影响，一直糟糕下去。起到决定作用的，是你看待这些事件的角度，和回应的方式。

## 孩子和父母之间的关系，始终存在"是或否"之外的第三种选择

我们不能选择自身的性情，父母也同样如此——他们也同样不能提前决定要"赋予"我们怎样的气质类型。且，我们与任何他人之间的互动模式，都是由双方共同建立和塑造的，与父母的也不例外。而我们与父母都无法主宰的"性情"这个部分，在这种互动模式的建立时起着很重要的作用。

觉察是提高自身主观能动性的第一步，当你意识到，父母对待你的方式不是完全不可控的，你也不是被动地接受着你们之间的相处模式，你就能够主动地去做出这种改变。而这种对改变的尝试，是不分早晚的。

长大以后的许多时刻，我们觉得父母不愿意改变，其实是因为我们仍然在用一样的方式和父母相处。吵架是一个常见的场景，很多人会无奈地抱怨不论怎么吵父母都不会听，但这其实也是因为，我们一直在和他们吵——我们也从来没有在这个循环中

停下来过。然而，很多时候，如果我们用行为向父母提出示范，父母也会发生变化。

不论是孩子，还是长大后的人们，认为自己没有办法改变家庭，一是因为我们觉得自己在其中是被动的、无力的，在一遍遍对幼时塑造出的坚固模式的重复中，我们被习得性无助的感受缠绕；二是因为孩子们主观上会有一种委屈的情绪，不管我们愿不愿意承认，我们都倾向于觉得父母有责任做出更多的改变，而不愿意自己做出改变。

这些我们自身或许都不一定能够意识到的被动、无力感和委屈，使得我们会在和父母相处时陷入一种"是或否"的反应模式。但很多时候我们其实有第三种选择。举个例子，很多人在面临父母"催婚"时都会觉得很无助，认为自己只有是或否的选择。

然而，除了痛苦地接受和果断地拒绝之外，我们其实还有另一种选择——在表明了立场之后，也向父母提出新的解决方案。比如，"我暂时没有结婚的打算，这个阶段有我想做的事。但我会尽量抽出时间多陪陪你，我也会支持你想做的事。"

当我们认识到自己在与父母之间的关系模式建立中的能动性，以及我们对父母和家庭的影响力，我们或许就能够试着去成为先做出改变的那一方。从行为上做出改变，而不单单是言语上——向着一种成人的、友好的、自我坚定的模式。

也许此前你从没有想过，你可以选择成为你父母的行为上的榜样。一定程度上，身教的效果比言传更好。用坚定但不包含攻击性的态度提出改变的提议。向他们示范，你所说的更健康和舒适的关系究竟是什么样子。

只是很多时候孩子不甘心由自己来承担关系中更大的责任——"因为他们才是父母啊"。但如果你能意识到自己对家庭的影响力，如果你愿意先迈出行为改变的这一步——对改变关系来说最有意义的一步，也许你能和父母一起，成为受益者。

# References

Ainsworth, M. D. S. (1978). The Bowlby-Ainsworth attachment theory. Behavioral and brain sciences, 1(3), 436-438.

Ayoub, M., Gosling, S. D., Potter, J., Shanahan, M., & Roberts, B. W. (2018). The relations between parental socioeconomic status, personality, and life outcomes. Social Psychological and Personality Science, 9(3), 338-352.

Belsky, J. (1981). Early human experience: A family perspective. Developmental Psychology, 17(1), 3.

Bowen, M. (1976). Theory in the practice of psychotherapy. Family therapy: Theory and practice, 4(1), 2-90.

Feldman, R., Weller, A., Zagoory-Sharon,O., & Levine, A. (2007). Evidence for a neuroendocrinological foundation of human affiliation plasma oxytocin levels across pregnancy and the postpartumperiod predict mother-infant bonding. Psychological Science, 18(11), 965-970.

Jarrett, C. (2016). Personality appeared before you could talk. BBC.

Kahneman, D. (2012). Thinking, Fast and Slow (New York: Farrar, Straus and Giroux, 2011). Google Scholar.

Kerr, M. E., Bowen, M., & Kerr, M. E. (1988). Family evaluation. WW Norton & Company.

Lafrance. A. (2015). What Happens to a Woman's Brain When She Becomes a Mother. The Atlantic.

Lehnart, J., Neyer, F. J., & Eccles, J. (2010). Long – term effects of social investment: The case of partnering in young adulthood. Journal of personality, 78(2), 639-670.

McCrae, R. R., & Costa Jr, P. T. (1994). The stability of personality: Observations and evaluations. Current directions in psychological science, 3(6), 173-175.

McCrae, R. R., Costa Jr, P. T., Ostendorf, F., Angleitner, A., Hřebíčková, M., Avia, M. D., ... & Saunders, P. R. (2000). Nature over nurture: Temperament, personality, and life span development. Journal of personality and social psychology, 78(1), 173.

觉察 即自由

**作者 / KnowYourself 主创们**

KnowYourself成立于2016年4月，目前已成长为中国最头部的泛心理学社区与平台，于全网聚集超过700万用户。

KY相信，幸福是一种每个人都可以习得的技能，而KY的使命，就是让每个人拥有幸福的能力。

拥有在国内最全面、最专业的心理学内容体系，主要聚焦原生家庭、情绪管理、自我发展、亲密关系、人际关系、生涯规划六大板块。

关注大众心理健康方面的预防、提升与早期干预，提供专业线上文章、心理测试、"呼吸冥想"微信小程序、泛心理社区app "月食"、心理轻咨询服务、"城市修行"线下空间、"KnowYourself"线下retreat项目、非盈利心理咨询服务平台等线上线下产品与服务，努力在全社会倡导以"身心健康"取代"身体健康"的新健康观，致力于让自我探索成为一种都市流行的生活方式。

**插画师 / 曹鸽子**

作家、艺术家，生于北京，现居纽约。

2014年发起"纽约女孩孤独"项目，已出版小说《我要全世界的爱》，儿童绘本《孤独的茉莉》。

文字，艺术，爱情和火，都只是获得世界的一种方式而已，曹鸽子如是说。

**长大了就会变好吗？**

产品经理 | 鲍晓霞　　装帧设计 | 陈　章

插画绘制 | 曹鸽子　　营销推广 | 施明喆

技术编辑 | 顾逸飞　　责任印制 | 梁拥军

产品监制 | 何　娜　　出 品 人 | 吴　畏

## 图书在版编目（CIP）数据

长大了就会变好吗？ / KnowYourself主创们著. --
南昌 : 江西人民出版社, 2019.7
ISBN 978-7-210-11334-8

Ⅰ. ①长… Ⅱ. ①K… Ⅲ. ①青年心理学—通俗读物
Ⅳ. ①B844.2-49

中国版本图书馆CIP数据核字 (2019) 第095415号

长大了就会变好吗？

KnowYourself主创们 /著

责任编辑/ 冯雪松

出版发行/ 江西人民出版社

印刷/ 天津丰富彩艺印刷有限公司

版次/2019年7月第1版

2019年9月第3次印刷

开本/ 840毫米×1092毫米 1/32 印张/ 8.75

印数/ 55,001-65,000 字数/ 182千字

书号/ ISBN 978-7-210-11334-8

定价/ 45.00元

赣版权登字—01—2019—187

如发现印装质量问题，影响阅读，请联系021-64386496调换。